Qu'est-ce qu'un serpent? Qu'est-ce qu'un fruit? Dans un système sans friction, où l'herbe est souple, donnons au serpent ce qui ondule et au fruit ce qui mûrit lentement, perché; donnons au serpent et au fruit la lenteur; supposons les deux gorgés de soleil. Sur un même plan: la sinusoïde et la sphère; le produit de l'œuf et celui de la fleur. Si ce qui mord fraie avec ce qui invite, que peut-on observer? Quelles connaissances, quelles innocences? Attendons que ce qui ondule fonde sur ce qui mûrit, et méfions-nous qu'il ne connaisse son goût, le reconnaisse.

tous les serpents connaissent
le goût des fruits

Mœbius
N° 157
Printemps 2018
tous les serpents connaissent le goût des fruits

Numéro dirigé par Marc-André Cholette-Héroux
et Laurance Ouellet Tremblay

Le thème est une phrase tirée de : Paul Kawczak, *Un long soir,*
Saguenay, La Peuplade, 2017, p. 48.

Dépôt légal – Bibliothèque et Archives nationales du Québec
Dépôt légal – Bibliothèque et Archives Canada
2e trimestre 2018
ISSN : 0225-1582
ISBN : 978-2-924781-10-4
ISBN PDF : 978-2-924781-11-1

Mœbius
2200, rue Marie-Anne Est
Montréal (Québec) H2H 1N1
revuemoebius.com
revuemoebius@gmail.com

Imprimé
Abonnements : revuemoebius.com/abonnement/

Diffusion pour le Canada :
Gallimard ltée
3700, boul. Saint-Laurent
Montréal (Québec) H2X 2V4
514 499-0072
Distribution : Socadis

Diffusion pour la France et la Belgique :
DNM (Distribution du Nouveau-Monde)
30, rue Gay Lussac, 75005 Paris (France)
librairieduquebec.fr
33 1 43 54 50 24

Numérique
Abonnements : sodep.qc.ca et erudit.org

Distribution : sodep.qc.ca et vitrine.entrepotnumerique.com

Archives : erudit.org

AU-DELÀ DE CE QUI S'OPPOSE

Il s'agissait d'abord d'une assertion : « Tous les serpents connaissent le goût des fruits. » Concise, affirmative, logiquement compréhensive – en un mot sentencieuse –, la phrase a quelque chose d'autoritaire, dès lors d'un peu menaçant. S'il fallait la prendre au pied de la lettre, il serait aussi troublant de se reconnaître dans le serpent que dans le fruit. Dans ce rapport à l'autre qui se dessine tout de suite, on trouve le même péril du côté du prédateur que de la proie. Conclusive, au demeurant, la phrase reste justement suspecte. Qui se permet de dire une telle chose ? Selon quelles prémisses ? Est-ce bien le mot de la fin ? Sa mise en scène décline une pente, place l'un ou l'autre en haut, l'un ou l'autre en bas, et déjà nos instincts habitués se chargent de prédire le mouvement qui s'y joue, déjà nos prédilections narratives se pressent de lui chercher un nom : possession, tentation, tension. Il vaudrait peut-être mieux se méfier d'une phrase si séduisante, qui suppose des récits tout prêts, qui divise sans effort le monde entre coupables et innocents. Pourquoi (ou comment) lui faire confiance ? Elle nous coince dans nos automatismes, nous empêtre dans nos références, nous réduit aux mythes qui nous devancent et nous rattrapent, nous incline enfin à croire que sur la table dressée, tout est joué d'avance. On en serait bientôt la dupe si elle ne réclamait pas aussi avidement qu'on l'écoute.

On ne doit sans doute pas s'étonner de ce que le numéro, rangé sous le signe d'une citation obliquement biblique, pour ainsi dire, soit irrigué d'un bout à l'autre par le récit. L'esprit du récit hante jusqu'aux textes poétiques, qui semblent suivre le fil d'une histoire parallèle, y puiser leur élan : journée de singuliers « Festins » chez Anick Arsenault ; quête guettée par la Catastrophe, poursuivie à mesure d'« Une caisse de vingt-quatre » chez Sarah-Louise Pelletier-Morin ; traversée poétique et musicale déclinée en « Sept raisons pour t'écrire un poème » chez Roseline Lambert.

Loin pourtant d'être une ligne droite, ce numéro se veut bien plutôt une série de variations, étrangement terre-à-terre, embrassant en même temps le commencement et la fin du monde, contenant pratiquement sa propre cosmogonie (« La Bête » d'Antoine Villard) jusqu'à sa propre dystopie (« nous souhaitions vous informer » de Marianne Lorthiois). À propos : Simon Brousseau signe ici un deuxième texte dans le cadre de sa résidence de création au sein de *Mœbius,* « Quand vous vivrez je serai mort ». Son essai s'intéresse à la littérature d'anticipation et à sa remise en cause des visions présomptueusement optimistes de l'avenir, questionnant au passage notre rapport à la dystopie.

Pour la première fois ce printemps, la revue arbore une nouvelle rubrique : celle du « fonds *Mœbius* », où nous nous proposons de faire redécouvrir un texte paru antérieurement, à un moment de la longue histoire de la revue (elle célébrait ses quarante ans en novembre dernier !). Tirant parti de la pérennité de *Mœbius,* qui, en outre, a toujours profité de la contribution de grands noms du milieu littéraire, cette rubrique fait le vœu d'inoculer un éclat de continuité dans le support pour le moins éphémère de la revue, et le pari de susciter des perspectives inédites en recontextualisant des œuvres d'un autre horizon sous un thème étranger, parmi des textes de primeur.

Dans ce numéro, nous présentons une nouvelle de Christine Daffe, « Intimus », initialement parue dans le numéro 63, au printemps 1995. Dépeignant la concurrence ambiguë, de part et d'autre d'une fenêtre, de deux regards, elle rencontre un heureux voisinage auprès d'« Il y a des pommes », de Jason Roy, et de « L'orée d'un crime », de Frédéric Parrot, où la cupidité et le piège du regard se font sentir avec violence, résonnant en écho à travers les pages.

Signalons une belle surprise provenant du cœur de la Transylvanie : une fiction de l'auteur de langue hongroise Sándor Olivér Murányi, « Le sac rouge ». Sa réjouissante notice biographique a de quoi rendre aussi curieux que cette courte histoire d'amateur d'ours, au carrefour de la parabole, de l'anecdote et du conte.

Si celle-ci lance fébrilement le présent numéro, la « Lettre à un écrivain vivant » lui offre une finale en douceur. Valérie Forgues écrit à Christiane Frenette, lui avoue regretter et s'inquiéter de ce qu'une œuvre et une plume qui lui sont chères, auxquelles elle tient à rendre hommage, semblent muettes depuis plus de dix ans. Sa lettre, délicate et affable, se lit comme une méditation sur la pratique de l'écriture, sur le silence qui la ponctue, ou la gagne.

Ne donner le mot de la fin ni aux serpents ni aux fruits. Ne pas donner le mot de la fin. (C'est après tout par ici que ça commence.)

Marc-André Cholette-Héroux
avec Laurance Ouellet Tremblay
Membres du comité de rédaction

LE SAC ROUGE

Sándor Olivér Murányi

C'est pour quoi? – demande la vendeuse. Pour le gros gibier. Elle me regarde d'un air surpris. Je prends congé, place les cinq kilos de maïs dans le coffre du 4×4 et me mets en route. J'ai découvert l'ours à une vingtaine de minutes du village, pas très loin dans la forêt. Il est encore là, lové dans un tronc d'arbre épais. Le bruit des voitures filant à grande vitesse ne l'incommode pas. Je ne l'ai jamais vu, pourtant, je sais qu'il est là. Hier, à l'entrée de la grotte, j'ai aperçu ses traces dans la neige de février fraîchement tombée. Savoir que j'agis au péril de ma vie me rend nerveux et, pourtant, je grimpe cette colline à pas lents. Comme je m'approche, mon cœur bat plus fort. Au bout de quelque temps, l'arbre apparaît avec la tanière en dessous. Je m'arrête, dépose par terre le sac de maïs. Comme je guette l'endroit à travers une lunette, tout d'un coup, une pensée traverse mon esprit: je dois disperser la nourriture. La soirée approche et la forêt se ranimera bientôt. Si je m'attarde, je me mets en péril. Je marche sans faire de bruit. Trente mètres me séparent de la tanière. Puis dix. Je prends le fond du sac en plastique et je le lance en l'air pour que les graines de maïs tombent devant l'entrée. J'entends alors un bruit sourd.

La vendeuse a peut-être mis la nourriture en deux sacs dont l'un est maintenant resté vide dans ma main tandis que l'autre, plein de maïs, a touché terre devant la bouche de la grotte. Cela n'empêche pas l'animal de le manger mais je ne peux pas prendre une photo, car la laideur du sac rouge saute aux yeux. Que faire? Aller le saisir pour en secouer le maïs serait de la pure folie. Je serais si près de l'animal qu'il se précipiterait sur moi et me tuerait sans doute. Ou peut-être pas? – suis-je en train de penser, sentant l'effroi monter en moi. Je sais déjà: le but du jeu est ma propre peur. Si je n'arrive pas à la vaincre, je suis perdu. Mon estomac frémit de crainte. Je me serre les dents et me dirige vers l'arbre. Il y a tout au plus un mètre entre le sac et la tanière de l'animal. J'avance, mais quand il ne me reste que trois mètres à franchir, je reviens sur mes pas. Pourtant, le sac ne me laisse pas tranquille.

Ne sois pas idiot! C'est du suicide! Tu sais bien ce qui t'attend si tu essaies quand même! Tu te précipiteras vers la mort, l'ours ne sera qu'un outil! – s'écrie une voix en moi à laquelle répond une autre: Tu as donc tellement peur de faire les derniers pas? Tu es incapable de maîtriser ton angoisse? Pourquoi la bête te sauterait-elle à la gorge? Peut-être qu'elle sautera, peut-être pas – je murmure à moi-même. Je piétine sur place, puis me dirige à nouveau vers la tanière. Mais cette fois encore, en m'en approchant, la peur me coupe les jambes. Tu t'avoues vaincu alors qu'il ne reste que trois mètres? – je me réprimande. Commence alors un pèlerinage entre l'arbre et l'endroit d'où j'ai lancé le sac. Si quelqu'un me voyait et filmait cette scène, on m'enfermerait dans un asile d'aliénés. D'ailleurs, on aurait raison. Trente-troisième gaffe! – je compte les essais manqués, puis me dirige vers la grotte pour la trente-quatrième fois, mais en vain. Je ne vois pas le temps passer. Le vent commence à faire frémir le sac. Je ne lâche pas prise, mais je ne me sens pas assez de courage pour aller jusqu'à l'entrée. Je mange un petit bout de quelque chose pour y puiser de la force peut-être et j'irai ramasser le sac ensuite – me dis-je au soixante-dix-septième essai manqué. Je dévale la colline jusqu'au restaurant d'à côté. J'ai des crampes à l'estomac, je suis incapable d'avaler quoi que ce soit. D'autres fois, tu avalerais la mer et les poissons. Qu'est-ce qui s'est passé ? – sourit la serveuse. Je bois mon café instantané sans mot dire et je pars. Je suis fâché contre moi-même. Non, je suis enragé. Je me remets en marche reprenant le raidillon, suivant mes propres traces et j'aperçois le sac. Sa poignée frétille dans le vent comme la cape rouge du toréador que l'ours semble tenir pour moi cette fois-ci. Soixante-dix-sept ! – je murmure en chuintant. Et quelque chose se rompt en moi. Je n'entends plus les voix intérieures. Un silence recouvre tout et je vois les traces de mes pieds... impossible de les retenir. Je ressens une tranquillité étrange. Le calme de la mort ? Je sais bien que je ne peux pas revenir sur mes pas. Dix, neuf, huit, sept, six, cinq, quatre, trois, deux, un. Je me surprends accroupi à l'entrée de la tanière. Je tends le bras pour atteindre le sac. Tandis que je le sens entre mes mains, je ferme les yeux pour ne pas voir l'ours foncer sur moi. Je tâte l'ouverture du sac et répands le maïs par terre. J'entends les graines tomber dans la tanière par l'ouverture dans le tronc de pin. J'attends le rugissement, que les pattes arrachent ma tête. Quand je rouvre les yeux, je vois le bout du museau de l'ours devant moi, reniflant en l'air. Ça doit être une bête énorme ! Mes jambes se dérobent sous moi, mais je ne lâche pas le sac. Je tombe agenouillé puis, tout d'un coup, la force revient dans mes muscles. Je commence à reculer pour regagner peu à peu mon point de départ à dix mètres.

Bien qu'il semble prendre des décennies, le museau de l'ours est plus loin. Les narines se dressent dans un angle de quarante-cinq degrés. Elles se dilatent et se referment tour à tour. C'est tout ce que je vois, mais cela suffit pour que je puisse en venir à la conclusion que plus rien ne dépend de moi. Un, deux, trois, quatre, cinq, six, sept, huit, neuf, dix, dix, dix. Je me relève, tenant le sac à la main. Je recule encore pour ne pas perdre de vue la tanière, puis, à une cinquantaine de mètres, je me retourne, et tout à coup, la forêt se remplit de sons à nouveau. J'entends le sifflement du vent. J'entends le bruit d'un camion qui passe. J'entends les bûcherons se crier les uns aux autres. Et ma tête est encore sur mes épaules. Et j'entends! Je descends jusqu'à la voiture, ouvre la porte et m'allonge sur la banquette arrière pour retrouver mes forces avant de retourner à la maison. Entre-temps, la nuit tombe. Les immenses pins, comme des frères mineurs vêtus de noir, forment une masse autour de moi dans la neige blanche. Je démarre la voiture et prends la route. Je pense en conduisant qu'en cherchant l'ours, je cherchais l'homme en moi-même. L'homme capable de surmonter ses craintes. Une fois à la maison, je mets le sac sur mon étagère, à côté de la statue de Diogène.

(Traduction en français de Károly Sándor Pallai)

INDÉCISION

Tanya Vaillancourt

Ce soir-là, j'étais vraiment laide. J'avais encore la tête dans le cul et je morvais depuis trois jours, le dessous de mon nez était comme couvert de cinquante mille coupures et mon coton ouaté plein de trous arrivait pas à cacher le fait que j'étais rendue grosse et dégueulasse. J'avais mal à la tête et l'idée d'aller au maudit show plate à Antonin me donnait envie de tirer dedans avec un fusil. Tirer dans ma tête, je veux dire.

— Y a officiellement aucune chance qu'on aille là.

— Comme tu veux, mon amour.

J'étais contente que Simon soit d'accord, mais la pensée m'est aussi venue que c'était un maudit gros mou sans volonté propre. J'ai dit « excuse-moi ç'est pas vrai je le pense pas » trente fois dans ma tête en commençant à dérouler mon fil d'actualités. J'ai décidé de déplacer ma colère sur l'épaisse à Mathilde Moreau qui était à Cuba et dont je me sacrais bien de voir les petits totons bronzés. J'haïssais mon téléphone et Simon lavait la vaisselle du souper qu'il avait préparé pour deux, le maudit chum parfait de marde. J'ai dit :

— Tu sais que je t'aime, hein ?

J'ai entendu des assiettes s'entrechoquer. Il m'a demandé si je voulais écouter un film, mais je n'ai pas répondu immédiatement. D'une part, j'étais irritée qu'il ait si vite écarté la possibilité qu'on aille au spectacle : il aurait dû savoir que ça m'aurait fait du bien. Mais aussi, j'étais distraite. Valérie McDuff et sa double carrière de réalisatrice et d'entrepreneure étaient apparemment l'objet d'un reportage insipide par je sais pas quel magazine de jeunes branchés pourris ; j'ai fait comme à peu près un million d'autres personnes et j'ai liké la photo d'elle dans sa robe fleurie trop belle devant le comptoir trop beau du maudit café trop cute qu'elle venait d'ouvrir.

Au début, je l'ai juste trouvée épaisse et vaine, mais après je suis tombée dans la spirale de ses photos de mannequin, je me suis mise à l'envier et j'ai fini par me trouver encore plus laide que trois minutes plus tôt. On avait été vraiment proches, Valérie McDuff et moi, avant qu'elle lâche ses études en comptabilité pour suivre ses passions de marde et devenir trop bonne pour ses amies ordinaires qui ont pas nécessairement envie de faire semblant qu'elles ont dix-sept ans pour le restant de leur vie. Je me suis demandé si elle avait enfin l'impression que son père l'aimait et j'étais sûre que non, mais j'ai immédiatement eu honte de m'en réjouir. J'étais pas rendue au dixième de son album infini quand j'ai remarqué que le beau Bernard m'avait écrit :

« Yo allez-vous au show d'Antonin ce soir ? J'ai vu que t'étais ATTENDING »

J'étais un peu contente, mais j'ai quand même soupiré vraiment fort.

« OUI ! Toi aussi ? On a pas tellement le hcoix heheh »

Simon est venu me rejoindre sur le divan.

— Qu'est-ce qu'il y a, mon amour ? Est-ce qu'on écoute un film ?

— On va voir le maudit show poche à Antonin.

Simon a fait une grimace haïssable.

On s'est habillés pour sortir. Dans la cage d'escalier, j'ai entendu la pluie tomber sur le puits de lumière au troisième. Je suis retournée dans l'appart m'écraser sur le divan une couple de minutes. Dans le cadre de porte, Simon a ri en suggérant qu'on pouvait encore laisser faire. J'ai sorti les parapluies.

Il y avait du bon dans le fait que le bar soit si près de la maison : je pourrais sans problème rentrer avant dix heures. Mais en passant sous les néons cheaps de la porte et en repensant aux trop nombreux spectacles de « théâtre » que j'avais vus dans les derniers mois, j'ai maudit Béatrice et sa nouvelle job. En dedans, c'était plein de vieux qui nous bloquaient le chemin du bar. Une femme dans un long manteau rouge m'a souri pendant que Simon refermait nos parapluies.

J'ai rapidement croisé le regard de Bernard : il était avec Béatrice au comptoir à billets et il m'a fait une espèce de grimace étrange. Il ne s'est pas levé pour m'embrasser parce que la première chose que j'ai dite c'est que j'étais malade comme une chienne, et il ne voulait pas « attraper mes microbes ». On a cogné nos poings, il a cogné celui de Simon, Béatrice a cogné le mien, tout le monde s'est cogné les poings, maudit qu'on était contents de se voir.

J'ai échangé des nouvelles avec Béatrice, mais on a été interrompues par des vieux qui voulaient acheter des billets. C'était surprenant le nombre de vieux à ce spectacle-là un mercredi soir.

J'avais dit en entrant que je tuerais pour une bière, sauf qu'il m'avait semblé que, dans mon état, c'était clairement une blague. Je me suis sentie reconnaissante, donc, mais surtout perplexe quand Simon m'a tendu une des pintes qu'il venait d'acheter. Il m'a à peine regardée avant de se tourner vers Bernard et de commencer à lui dire des banalités.

Il y avait un couple de jeunes assis côte à côte à une table devant nous, qui tétaient leur bière et qui regardaient la scène en se la fermant. Dire qu'ils auraient pu être à la maison en train de regarder un film et de pas se poser de questions. J'ai tourné la tête vers Béatrice et j'ai pris conscience que j'avais la bouche ouverte parce qu'elle m'imitait. J'ai reniflé, j'ai sacré, Béatrice a ri, quelqu'un s'est approché pour payer son entrée. J'ai goûté à ma bière. Ça goûtait la bière.

Bernard répondait à tout ce que Simon lui disait par des blagues génériques. Il n'avait rien dit de substantiel depuis qu'on était arrivés, et ça m'a fait me souvenir que Bernard était vraiment juste le fun quand on avait tous les deux beaucoup bu. Je comptais être partie à dix heures pis ma soirée allait être plate en tabarnak.

— Comment ça se fait que le spectacle est pas commencé encore ? Ça disait neuf heures sur l'événement.

— Je te l'ai dit, mon amour, il y a aucune chance que ce show-là commence avant dix.

— C'est quoi l'idée, tous ces vieux-là travaillent pas demain ?

— C'est hype d'être en retard.

— Ben oui mais cibole, les parents de tout le monde sont arrivés. Ils ont pas compris que personne d'autre voulait rien savoir ?

Les deux gars ont ri et Simon m'a fait signe d'être discrète, Béatrice était à deux pas. J'ai haussé les épaules. Antonin est passé, il avait un t-shirt blanc et l'air nerveux. Il était content qu'on soit là, je lui ai dit qu'il était beau pis bon. Béatrice était contente de me l'entendre dire, elle l'a frenché en lui assurant que tout allait bien se passer. Il est parti.

Bernard faisait parler Simon de sa job et il arrêtait pas de me lancer des petits regards souriants. Je sentais qu'il voulait m'inclure dans la conversation mais sans jamais rien me *dire,* comme s'il voulait juste connaître mon opinion sur je sais pas quoi. J'étais incapable de me concentrer.

— Bernard, tu fumes, toi?

— Oui! En veux-tu une?

— Envoye donc.

Le sourire de Simon s'est effacé. Je me suis levée et Bernard m'a tendu mon manteau. Simon me dévisageait avec ses petits yeux plissés, mais il était bien mieux de rien dire.

— On revient.

— Je surveille vos bières! qu'il a dit, en prenant une gorgée de la mienne.

Je lui ai fait un finger pour rire.

Il avait arrêté de pleuvoir. Bernard m'a offert une cigarette et me l'a allumée en parfait gentleman. Son briquet fonctionnait plus ou moins et il a eu du mal avec la sienne; je l'ai trouvé beau comme ça, une clope aux lèvres et l'air agacé.

— Fait que t'es contente d'être ici ce soir?

— Argh, parle-moi-z-en pas. Mais je serais malheureuse n'importe où.

— Ha ha! Comment ça, mauvaise journée au bureau?

Bernard voulait toujours rien que parler de ma maudite job plate, comme si rien d'autre pouvait aller mal dans ma vie. D'un autre côté, tant mieux.

— As-tu vu le temps qu'il fait? On est en décembre, câlice.

— Ah, ouain. Ça c'est de la bouette. On peut au moins se réjouir que novembre soit fini.

— Bon, monsieur positivité, c'est bien.

— J'ai essayé de pas croire à la déprime saisonnière cette année. Ça a pas marché.

— Ha! Qu'est-ce qui se passe avec toi? J'avoue que, dans le fond, le mois dernier a été vraiment de la marde au bureau.

Il m'a expliqué qu'il attendait des nouvelles de son éditrice pour le recueil de poèmes qu'il venait d'écrire, qu'entre-temps il ne se sentait pas libre de commencer autre chose et que l'attente était infernale. Je pense qu'il a utilisé l'expression « crise existentielle ». J'étais rendue à la moitié de ma clope et je commençais à avoir mal au cœur. J'ai pensé à Simon tout seul en dedans et je me suis sentie coupable.

Quelqu'un approchait sur le trottoir, et a paru ralentir en nous voyant. J'ai quitté Bernard des yeux et il s'est aussitôt mis à bafouiller. Après un instant, j'ai reconnu ma très chère, la seule et l'unique Valérie McDuff : son visage s'est éclairé au même moment.

— Hey allô! Ah wow, je suis contente de pas être toute seule ici ce soir!

Elle revenait du tournage d'un court-métrage dans un studio à quelques coins de rue. Elle avait un peu de rose sur les doigts parce qu'elle et toute l'équipe avaient peinturé les murs le matin même. La journée s'était bien passée, mais il y avait encore beaucoup à faire le lendemain avant de tout remettre en blanc. Elle s'est tournée vers Bernard et l'a reconnu tout d'un coup :

— Ça fait *tellement* longtemps !

Bernard était d'accord et ils avaient sûrement beaucoup de nouvelles à échanger, mais il a quand même décidé qu'on s'enfonçait dans le sujet des films à petit budget : il était curieux de savoir quel genre de scène demandait d'être tournée en studio. Je leur ai annoncé que je rejoignais Simon à l'intérieur :

— Mais heille, j'ai vu ton article, ton café. Bravo. C'est vraiment hot.

— Ha ! C'est tellement rien. Mais t'es fine, Corinne, merci.

J'ai constaté en rentrant que le spectacle n'avait pas commencé. J'ai failli regarder l'heure, mais je savais que ça allait me fâcher, alors j'ai laissé faire. Je me suis dirigée vers le bar pour commander une autre bière, sauf que je ne voulais pas exagérer et je l'ai prise sans alcool. En attendant d'être servie, j'ai analysé la poignée de change dans mes mains et mis de côté trois dollars pour le tip ; je me sentais généreuse. Puis j'ai cherché le regard de Simon. Il était assis à une table avec Béatrice, l'air sérieux. Quand il m'a vue, il a souri, et Béatrice s'est vite retournée vers moi : elle m'a souri aussi, mais pas avant que j'aie eu le temps d'apercevoir son visage déconfit de fille à qui on vient d'annoncer quelque chose de sérieux.

La serveuse est arrivée avec ma bouteille et j'ai hésité un instant, puis j'ai encore regardé l'argent dans ma main avant de le lui donner. Elle s'est éloignée sans me remercier. Je me suis lentement levée du tabouret et une fois debout, j'ai à nouveau eu besoin de savoir l'heure. Sauf que des fois, c'est ça : on veut voir l'heure, mais on se laisse aspirer par une notification, on tombe sur encore plus de photos des foufounes brunes à Mathilde Moreau, pis on est encore plus en crisse que si on avait vu qu'il était passé dix heures.

Quand je suis arrivée à la table, Béatrice était de retour à son comptoir à billets, à côté. Elle s'est empressée de me rassurer :

– Ça commence, là ! Antonin voulait que les gens soient debout, mais ça a pas marché ben ben, ha ha !

Je me suis assise. La salle était à moitié vide et tout le monde était assis. J'ai pris une grande gorgée et Simon m'a caressé le bras, inquiet.

– Une autre bière, mon amour ?

– Ouais ben, une de plus une de moins, hein ?

Il s'est comme raidi. J'avais mal à la tête. Une voix d'homme avec un gros accent anglais a jailli des haut-parleurs :

– Mesdames et messieurs, merci d'être ici en si grand nombre ce soir. On vous gâte en grand aujourd'hui, il n'y a pas de première partie, ha ha ! Okay, donc, sans plus attendre, je vous invite à accueillir d'une main chaude d'applaudissements les membres de Crapules ! Bonne soirée à tous !

Antonin est monté en scène avec trois gars que je ne connaissais pas. Leur linge n'avait pas d'allure. Bernard est arrivé à la table au même moment, il a repris sa place et sa bièrc et nous a invités à trinquer : « Aux Crapules ! » Simon ne s'était pas déraidi, et il ne m'a pas quitté des yeux en finissant sa pinte d'un trait. Il s'est levé de table.

— Excusez-moi.

Valérie est arrivée comme il partait, un précieux verre de vin à la main. Elle a demandé s'il s'était passé quelque chose.

— Non, non, il revient.

Elle s'est assise à la place de Simon. Je sentais le regard de Béatrice me brûler le dos de la tête, mais j'étais au show de son insignifiant de chum et elle pouvait bien prendre son crisse de trou. J'ai bu une grande gorgée de bière en fermant les yeux. J'ai respiré fort. La musique a commencé.

Ma première surprise, ç'a été de voir qu'Antonin jouait de la batterie en même temps qu'il chantait. Je savais qu'en posant une question là-dessus à Béatrice, je lui ferais très plaisir et qu'elle oublierait tout du malaise dont je me sentais maintenant responsable. J'avais aucune raison de me sentir responsable, mais c'était comme ça, je suis comme ça, je prends tout sur moi tout le temps même quand c'est 100 % la faute des autres. Béatrice pouvait mijoter là-dedans un autre petit bout de temps.

Ma deuxième surprise n'en était pas vraiment une parce que je savais depuis le début que c'était ça qui arriverait : je savais depuis le début que j'haïssais pas vraiment la musique de Crapules. Pour m'en rappeler, il a fallu que je garde la tête résolument tournée vers la scène et que je me force à ne pas voir les sourires sarcastiques de Bernard ou à entendre le rire niaiseux de Valérie, et que j'ignore tout de leur attitude de jugement de marde qu'ils pensaient arriver à cacher... Ou bien Béatrice était aveugle, ou bien elle était une sainte de ne rien dire. Après la première chanson, Antonin nous a tous remerciés d'être là ce soir, et en si grand nombre. Il avait le si grand nombre facile.

Quand ils ont entamé la chanson suivante, j'ai senti quelque chose se dénouer entre mes épaules et je me suis détendue. J'avais comme honte. Le spectacle était censé avoir eu lieu la semaine d'avant, et j'avais trouvé une excellente raison de ne pas venir ; mais comme je n'étais apparemment pas la seule à savoir inventer des excuses, il avait été remis à aujourd'hui.

Je sais pas ce que j'entendais ; je pense que c'était du rock, mais qu'est-ce que je connais là-dedans ? On ne comprenait pas grand-chose parce qu'Antonin a peut-être pas la meilleure voix, mais il y avait une belle candeur dans ses paroles. Il disait que ses écrans lui donnaient plus de lumière que la fenêtre de sa chambre, ou qu'il avait aimé une fille qui venait d'Italie au pied des cactus de Mexico. Une de ses chansons racontait la quête du « bijou parfait » et j'ai eu la révélation qu'il allait demander mon amie en mariage. Ce soir, peut-être ? Je me suis tournée vers Béatrice. Perchée sur son tabouret, elle hochait la tête et tapait des mains, un sourire imprimé d'un bord à l'autre de la face. Le guitariste portait des pantalons à pattes d'éléphant et je le trouvais ridicule pour cette raison, mais en le voyant donner des petits coups de pied dans les airs avec autant de plaisir, je n'ai pas pu m'empêcher de sourire aussi. J'ai dit à Béatrice que j'aimais beaucoup les paroles et que c'était bon. Elle était contente que je sois là.

Entre deux chansons, Antonin a pris le temps de souligner l'anniversaire de son bassiste. C'était à peine leur deuxième spectacle ensemble et il ne le connaissait pas encore beaucoup, mais il savait au moins qu'Esteban était musicien, et il lui offrait donc une carte-cadeau de chez le magasin de musique Steve's. Tout le monde a applaudi, mais ce n'était pas tout : comme Esteban avait des opinions politiques « spéciales », qu'il était « anarcho-individualiste ou quelque chose comme ça », il lui offrait aussi et par conséquent un essai philosophique qui lui avait paru être dans ses cordes (jeu de mots, à cause des cordes d'une basse). Antonin nous a enfin tous fait chanter « bonne fête Esteban ». Esteban était un peu mal à l'aise, Bernard et Valérie étaient sans doute mal à l'aise aussi, mais personnellement, je m'en sacrais et je trouvais ça beau.

Simon ne revenait pas. J'ai consulté mon téléphone ; il ne m'avait pas écrit. J'ai pesé sur son nom dans la liste et mes doigts ont flotté un bout de temps au-dessus des lettres sans que j'arrive à trouver quoi écrire. J'ai éteint l'écran et je me suis tournée vers les deux célib' à ma table. Bernard chuchotait quelque chose à Valérie, la bouche à deux pouces de son oreille. On aurait pu croire qu'elle regardait la scène, mais c'était clairement le vide qu'elle fixait comme ça, pendant qu'un sourire radieux étirait de plus en plus son visage parfait. Bernard a fini son histoire, j'imagine, et elle a éclaté de rire en se tournant vers lui, elle lui a poussé l'épaule, et lui a baissé les yeux en gloussant. J'étais contente pour Bernard.

Je me suis levée, puis dirigée vers la salle de bain. La musique était à peine étouffée de l'autre côté de la porte et j'ai continué d'y prêter attention en faisant pipi. En sortant de la cabine, j'ai remarqué une annonce niaiseuse sur la machine à condoms. J'ai pris une photo et je l'ai envoyée à Simon pour le faire déchoquer. Je regrettais d'avoir été bête. Je ricanais encore en tirant la porte des toilettes, qui s'est ouverte très vite parce que quelqu'un la poussait en même temps de l'autre côté. C'était la femme au manteau rouge que j'avais vue plus tôt et qui n'avait toujours pas enlevé son manteau. On s'est excusées.

Le spectacle continuait et tant que je ne regardais pas mes amis, je vivais de belles émotions sans trop avoir à penser. Je trouvais ça dommage que si peu de gens soient là. Mais je pensais aussi à un million d'autres affaires ; j'avais l'impression d'être en transe et je n'étais pas si attentive à la musique. À la fin d'une chanson qui répétait souvent les mots « vil reptile », Antonin a annoncé qu'il dédiait la prochaine à sa mère. Peut-être parce que j'avais l'air distraite, Béatrice m'a saisi l'épaule et m'a expliqué que la chanson suivante était dédiée à la mère d'Antonin. J'ai senti qu'elle était fébrile et j'ai ri ; elle s'est levée et est allée dire quelque chose à une vieille à la table voisine. C'était la mère d'Antonin et Béatrice lui annonçait que la chanson suivante lui était dédiée.

Quand la musique est repartie, je suis replongée dans mes pensées et je n'ai pas tellement fait attention aux paroles. Mais à un moment donné j'ai eu une intuition et je me suis retournée vers Béatrice : elle était en larmes.

— Il a tellement travaillé pour cette chanson-là !

Elle se trouvait nounoune et, naturellement, j'ai trouvé qu'elle exagérait, mais ça m'a aussi émue et je l'ai prise dans mes bras. Elle avait l'odeur qu'elle a toujours eue et je lui ai dit qu'elle était belle. C'était vrai. On s'est lâchées. Elle riait en pleurant.

— Simon est pas revenu ?

Bon, elle était redevenue sérieuse.

— Non.

— Je comprends pas. C'est un peu tôt, mais c'est ce que vous avez toujours voulu, non?

Je répondais rien. Je fixais la scène.

— Pis c'est vendredi ton rendez-vous?

— Je sais pas si je vais y aller.

— Mais là, Corinne!

Elle écoutait même plus la chanson pour la mère d'Antonin. Je lui aurais arraché la tête.

— Parle-moi donc!

— Non merci.

J'ai pris une gorgée de bière, c'était amer. La chanson s'est terminée et tout le monde a applaudi bien fort. La mère d'Antonin n'avait pas l'air tellement émue. J'ai regardé mon téléphone : Simon ne m'avait pas répondu et il était presque onze heures. J'ai pensé à ma job d'adulte, j'ai voulu mourir. J'ai calé le restant de ma bière. Tout bien considéré, avoir envoyé à Simon la photo d'une fille en larmes dans le bureau de son médecin avec la mention que «Se protéger, c'est OK» n'avait peut-être pas été ma meilleure blague. Estie de conne. À côté, Valérie faisait semblant d'enlever une poussière dans les cheveux frisés de l'autre flanc mou de Bernard. Il a croisé mon regard et je l'ai senti devenir tellement nerveux que c'en était gênant. Je me suis levée, Béatrice m'a retenue :

— Ha! Dis-moi pas que tu t'en vas à cause de moi?

— Je vais me chercher une bière.

Ce n'est pas ce que j'avais l'intention de faire, mais c'est ce que j'ai fait. De toute façon, l'autre à la maison ne m'attendait clairement pas avec impatience. J'ai commandé une IPA sans réfléchir et l'ingrate de barmaid n'aurait pas une seule de mes cennes ce coup-ci. Pour ajouter un peu d'huile sur le feu de notre petit drame, je me suis plantée à l'un des tabourets du bar avec la ferme intention de ne plus bouger. J'ai bu une gorgée de ma nouvelle bière à au moins 6 % d'alcool, en me demandant vraiment pourquoi j'étais pas juste allée me coucher. La barmaid avait pas l'air fâchée ; à la table, Béatrice et les autres avaient pas l'air de s'ennuyer de moi.

J'ai sorti mon téléphone et j'ai gossé pendant plusieurs secondes, passant frénétiquement d'une app à l'autre sans comprendre ce que je voyais. J'ai enfoncé mon téléphone au plus profond de ma sacoche trop pleine et j'ai bu une autre gorgée. J'ai fermé les yeux et je l'ai sentie descendre le long de ma gorge, se faufiler comme une vipère dans mon œsophage et tomber au fond comme une douche froide. J'entendais plus rien, j'étais en crisse pis je m'en voulais : si j'étais pour changer d'idée, cet enfant-là allait naître mongol pas à peu près.

— Je rentre, moi ! C'était vraiment le fun de te voir. On fait de quoi bientôt, okay ?

C'était Valérie, qui avait remis son manteau et son sourire et qui s'apprêtait à sortir.

— Déjà ?

— Oui, je serais trop restée mais il faut que je m'écoute, tournage demain, je veux pas être trop finie. Dis bonsoir à Simon pour moi quand il revient, okay ? Bisous !

On s'est fait la bise, elle est sortie. Je l'ai suivie des yeux jusqu'à la porte, que j'ai continué de fixer un long moment. Peu à peu, j'ai recommencé à entendre la musique.

Sur la scène, les membres du band donnaient leur 110 %. Cinq ou six filles dansaient devant. Ça ressemblait à l'apogée du show. Bernard est venu s'accoter au bar à côté de moi. Il m'a souri :

— Ça s'endure finalement, hein !

— De quoi ?

— Le show.

Il était pas question que je réponde à ça.

— Veux-tu ben me dire pourquoi t'es pas rentré avec elle ?

— Hein ?

— Valérie. Cibole, Bernard, elle attendait juste ça.

Il a fait une petite moue gênée. Il ne savait pas trop. Bernard s'est commandé une blonde et on a écouté sans rien dire les dernières minutes du spectacle. Antonin suait comme un cochon derrière son drum mais il souriait aussi de toutes ses dents, le guitariste se déhanchait comme un bon et Esteban ondulait de tout son corps comme une limace.

J'ai sorti mon téléphone, Simon m'avait répondu : « T'es conne. » J'ai souri. Puis : « Rentre pas trop tard, là, tu sais que tu vas le regretter. » J'ai posé mon cellulaire et j'ai constaté que tout le monde s'était mis à taper des mains. J'ai fait comme tout le monde. Il s'est passé une petite éternité le fun pendant laquelle je n'ai eu aucune pensée. À la fin de la chanson, le tapage de mains s'est changé en applaudissements soutenus. Les gars ont tiré leur révérence et la voix de Béatrice, quelque part, criait bravo. Bernard s'est tourné vers moi :

— Bon ben, à Crapules !

Je lui ai frotté les cheveux et on a trinqué.

— Tu penses que j'aurais dû l'inviter ? Elle est pas un peu niaiseuse, Valérie ?

J'ai déposé ma bière à moitié pleine et je me suis dirigée vers la table qu'on avait désertée. Rien ne pouvait m'atteindre, rien n'allait m'atteindre. La plupart des jeunes dans la salle s'étaient attroupés en avant pour féliciter le band. Les vieux, eux, étaient en train de mettre leurs manteaux. Je faisais comme les vieux.

Pendant ce temps, au bar, Bernard avait l'air confus, visiblement surpris que je l'aie laissé en plan. Bernard est probablement la définition même de la confusion. J'ai encore croisé le regard de la femme au manteau rouge, qui était prête à partir mais qui, disons-le, n'avait jamais vraiment pris la peine d'arriver. Elle m'a souri. Je commençais à trouver que tout le monde souriait pas mal ce soir.

Béatrice n'était nulle part en vue et ça faisait mon affaire. Mon manteau zippé et mon foulard noué, j'ai pris mon parapluie et je suis retournée au bar. J'ai fait la bise au beau Bernard.

— Il est où, Simon, en passant ?

Dehors, il neigeait. Le genre de neige qui est juste à la limite de ce qu'on peut appeler de la neige, mais qui est quand même pas de la pluie. J'ai texté Béatrice pour m'excuser de ne pas lui avoir dit au revoir et pour qu'elle félicite Antonin de ma part. Il me semblait qu'en fin de compte j'avais quasiment rien bu, mais je marchais croche pis je pensais au ralenti : j'étais quand même soûle.

Le plus dur, c'est l'heure qui s'écoule entre le premier snooze et le moment où on boit son café. Il paraît qu'il y a moyen de mettre son alarme plus tard et de se réveiller juste quand c'est vraiment utile de le faire ; faut croire que j'ai tendance à être optimiste en me couchant. Mon réveil allait pas être facile demain, mais si j'arrivais à me rendre à mon café, le reste de la journée serait juste un peu plus pénible que d'habitude.

J'étais quand même fière de ne pas avoir pété ma coche contre Bernard. Je lui avais déjà fait la morale, une fois, parce qu'il avait traîné son ex au lancement de je sais plus quoi, je sais plus où. Monsieur peine d'amour perpétuelle. Valérie était là aussi cette fois-là, la grande libertine, elle avait pris sa défense. Elle avait sûrement raison; qu'est-ce que j'en sais moi. J'ai rien vécu.

Corinne et Valérie, best friends for life, câlice. On était censées l'ouvrir ensemble ce café-là.

Jeudi au bureau, c'est les midis resto. J'aurai pas besoin de me faire de lunch, que je me disais. Quand il sait que je passe une journée de cul, Simon m'envoie des photos drôles. Quand même, il ne le fera peut-être pas demain.

J'ai vu que Béatrice m'avait répondu un paragraphe long comme le bras; j'ai décidé de ne pas le lire immédiatement. Le nez s'est remis à me boucher, il faisait froid. Même dans le reflet noir de la vitre d'un char, j'étais crissement laide.

NOUS SOUHAITIONS VOUS INFORMER

Marianne Lorthiois

nous souhaitions vous informer qu'une décision a été prise
la monnaie « santé » vaudra à présent 58 % de la monnaie
    « shampoing »
et a chuté hier à nouveau de 18 points par rapport à la
    monnaie « finance »

ceci est une invitation officielle à la chasse aux sous perdus
nous souhaitions vous aviser qu'il vous en reste plus qu'à
    d'autres
et qu'ils pourraient vous les prendre
et que nous pourrions vous les prendre
veuillez noter qu'il n'existe à ce jour aucune règle officielle
    reconnue par la fédération sportive
si ce n'est l'obligation de participer

nous vous remercions de votre achat
il a été porté à notre attention que les costumes livrés l'ont
    été avec les poches trouées
nous ne fournissons aucun modèle de remplacement
là où s'écoule l'effort sur le trottoir
nous vous demandons de bien vouloir ne pas laisser de
    traces

veuillez prendre note du fait que ce jour marque la fin de
    l'âge de pierre
en ceci que la pierre est sable, en ceci que le sable est coté
    en bourse
et que tout ce qui n'a pas été construit de vos propres
    mains sales pourra s'évaporer sans préavis

nous sommes dans le devoir de vous annoncer qu'il n'y a
    plus d'édifices à bâtir
sinon des autels à la gloire du dieu qui vous sera attribué
que toute tente, cabane, foyer de fortune ou halte non
    régularisée fera l'objet de poursuites administratives
merci de bien vouloir attendre derrière la ligne avec vos
    mains serrées
plus d'informations suivront
sur ce que vous pourrez en faire
veuillez suspendre immédiatement et jusqu'à nouvel ordre
    toute activité associée à la douceur
ne tirez pas de chaise pour un inconnu
à la prochaine mise à jour vous sera notifié le nouvel usage
    prévu pour l'espace entre vos bras

nous avons le regret de vous informer que l'eau des mers
    n'est plus navigable
si le ciel s'assombrit, souvenez-vous que la mitraille
est aussi noire que les oiseaux

nous avons la joie de vous apprendre que tout homme
    dispose d'une liberté totale de mouvement dans une
    aire d'un pas sur deux
où un pas sur le marbre est plus vaste que l'univers connu
et où un pas dans le désert n'ira pas plus loin que le bout
    de votre chaussure
tous les hommes et toutes les femmes naissent et
    demeurent égaux en nombre de pas
nous vous invitons à tourner sur vous-même ou à respecter
    l'itinéraire désigné
car le diamant a besoin de marcheurs des profondeurs
comme l'eau a besoin de collecteurs de pluie
et le ventre insatiable, de marteleurs de terre

si la course est trop longue, arrêtez-vous
si vous vous arrêtez, veuillez justifier votre choix au moyen
    du formulaire ci-joint et nous le renvoyer sous pli scellé
    d'ici sept heures ouvrables
faute de quoi nous serons dans l'obligation de vous assigner
    un nouveau rêve

nous sommes malheureusement dans l'impossibilité de
    vous répondre actuellement
nous vous demandons de bien vouloir patienter
entre le barbelé et l'espoir

nous vous remercions de votre appel à la lune
nous accusons réception de votre cri

nous avons l'honneur de vous accueillir parmi les
    dépossédés

STIGMATES

Kaliane Ung

Les armes de l'enfance te font le cuir et l'armure
ÉTIENNE DAHO
La peau dure

Elle rentre de l'école du dimanche à vélo, les joues en feu, l'appétit aiguisé. Elle vient d'apprendre deux mots magiques : *fiat lux*. C'est du latin, une langue morte sauf dans la maison de Dieu. Que la lumière soit, trois coups de bâton, lever de rideau et noir salle. Après le jugement dernier, tout le monde parlera latin. Dans le garage, elle observe le père démonter puis remonter un circuit électrique. L'énergie tourne en rond, le courant passe, la diode clignote. Chaque installation fonctionne selon le même modèle. *Attention à ne pas te prendre le jus.* Comme l'or et l'argent, les métaux que l'on considère précieux, l'humain est un corps conducteur. Le père est un peu sorcier, il explique, transmet. Faut savoir faire et défaire pour refaire, réparer. Elle passe le tournevis, le pied de biche, trempe ses mains dans le cambouis, fait le tour de la maison et se faufile dans la cuisine, attirée par l'odeur du clafoutis aux cerises qui sort du four. On est en 2018, on lui a maintes fois expliqué qu'elle a le choix. Le monde est à elle. La mécanique, la pâtisserie, le pôle Nord, les conquêtes spatiales, le repassage et le tricot : vaste programme.

Le lundi à dix heures dix minutes, alors qu'elle plonge à pieds joints dans un ciel de craie, une surveillante lui demande d'insister auprès de ses parents pour se faire baptiser au plus vite, sinon elle ne sera pas une enfant de Dieu. L'adulte lui raconte les limbes, une banlieue de l'Enfer où les enfants morts avant l'heure errent à l'infini sans pouvoir retrouver leurs proches. Elle ne se sent pas concernée, vu qu'elle ira directement au paradis. L'important est de choisir le latin en entrant au collège, pour pouvoir discuter avec tous les saints. Les parents signeront la feuille administrative sans problème lors du passage en cinquième, elle pourra faire médecin. Ce n'est pas demain la veille qu'elle quittera sa maison cossue pour visiter les pavillons de Satan. Par sécurité, et parce que rien ne l'angoisse plus qu'une moquette grise sous un soleil d'hiver, elle s'octroie tout de même une deuxième douche, à l'eau froide.

Le mardi à dix heures moins dix, elle traverse l'élastique fluorescent que tendent ses camarades entre leurs jambes, se prend dans ses lacets et perd la partie. Rotules sur gravier, genoux grumeleux, elle se relève en tirant sur son uniforme. Elle sauve l'honneur de justesse en atteignant les cent croisés à la corde à sauter. Baptiste, son voisin de table, la console : *c'est pas si mal pour une fille.* Elle lui demande : *quelle différence entre les filles et les garçons ?* Il lui prend la main et la place au niveau du plexus solaire, elle sent un creux là où elle a un léger renflement. Ses doigts se rétractent automatiquement en palpant l'absence. Il se penche, ajoute : *c'est un secret.* Elle se souvient de la Genèse. Os de ses os, chair de sa chair, la femme vient bien de la côte d'Adam. Toute une flopée de femelles prise sous l'aile du mâle originel, dont la petite bosse au niveau de la gorge prouve qu'il partage la responsabilité du péché, et de l'aveu du péché, du nom de toutes les créatures apparues après lui.

Enfin mercredi. Le jour des enfants, il y a une messe l'après-midi. Elle connaît tous les chants par cœur, mais ne défilera pas dans la nef. La maîtresse a décidé qu'avec Fatima, Judith et Brandon, elle serait un ange. Ils se tiendront à côté du piano, auront le droit de chanter et de répondre *et avec votre esprit.* Ils demanderont leurs costumes à l'aumônier. Réclamer l'hostie à l'heure du goûter, elle n'y songe pas. Pourtant, elle voudrait bien connaître le goût de cette friandise ronde, plate, sans sel, pétrie de farine, gorgée des larmes de tous les saints. Ouvrir les lèvres, tirer la langue, être sauvée par le sacrifice de Jésus-Christ, ce serait quand même pas mal. Elle fomente une stratégie, se retourne discrètement en cours de français, observe l'auditoire. Elle choisit la plus dorée des têtes blondes, comme dans la vitrine d'une pâtisserie, un garçon qui porte le prénom d'un évangéliste. Elle fait circuler un papier trois rangées plus bas. La boulette lui revient avec un ajout dans la marge. À la récréation, elle se retrouve devant un regard cendré, confus, et des pupilles qui s'agitent. Elle réitère sa demande à l'oral. *Fais-moi goûter le corps du Christ dans ta bouche.* Elle ne veut rien de moins. Il ne demande pas mieux. Un pacte est scellé. De retour dans la classe, ils se placent à la même table, elle soulève son bras et le laisse recopier une lignée des rois de France.

La bouillie qui passe de la bouche de Matthieu à la sienne n'a absolument aucun goût. L'amour est un art plastique. Quelque chose se brise dans ses synapses et se reconstruit ailleurs. À compter de ce malheureux épisode, elle décide qu'elle tendra toujours la joue à Matthieu, par charité, une fois puis deux, comme Jésus l'indique dans le Sermon sur la montagne. *Tu aimeras ton prochain.* Matthieu ayant prêché la bonne parole dans la cour de récréation, d'autres garçons lui proposent d'échanger des sucreries contre une bataille de langues. Les versets résonnent dans sa tête. *Vous avez appris qu'il a été dit : œil pour œil et dent pour dent. Mais moi je vous dis de ne pas résister au méchant.*

Jeudi, le petit frère tombe et ce n'est pas pour de rire. C'est la première fois depuis sa naissance qu'elle retourne à l'hôpital. Elle pense que c'est sa faute. Le petit frère est pris en otage parce qu'elle a dérogé aux règles de l'Église. Après l'algèbre, la bonne sœur explique le Carême qui approche, les quarante jours de Jésus dans le désert. Il ne faudra pas manger trop de gâteries durant cette période, même si les magasins proposent déjà des animaux en chocolat. *Pensez à Jésus, qui n'avait ni bonbons ni brioche. Et les fruits, on a le droit ? Oui, si possible au petit-déjeuner.* La sœur répète : *Pensez bien à Jésus avant de vous resservir à la cantine.* La petite se demande si Jésus trouve parfois le temps de penser à elle, quand elle peine à finir son assiette.

Vendredi après-midi, elle s'assied au premier rang de la chapelle et écoute le bruit du clapet qui rythme le flux des confessions. Les garçons répètent les paroles des nonnes en séparant toutes les syllabes. *Vite/à/con/fesse.* Elle voudrait appuyer sa joue contre la rumeur des péchés chuchotés. Elle envie les lainages blancs de ce petit peuple d'agneaux rentrant dans l'enclos du pardon à intervalles réguliers, quand la nuit tombe sur le pâturage, une fois par trimestre avant la remise des bulletins. Elle s'impose une pénitence pour sa grosse bêtise. Un « Notre Père » et un « Je vous salue Marie » avant chaque repas, à conclure par « et si je meurs, que Dieu me garde ».

Samedi, elle va chercher le pain et se prive avec détermination de son mille-feuille hebdomadaire. Avec la monnaie, elle allume un cierge pour le petit frère. De retour à la maison, elle tranche la baguette en deux, vide le pain de sa mie, aplatit la matière blanche en plusieurs cercles, tente de les modeler le plus finement possible. Elle en place douze le long de la table du salon, un pour chaque apôtre, et un unique bonbon pour Jésus. À chaque heure qui passe, elle avale une boule de mie, récite une prière. Son ventre est vide et lourd. Quand toutes les hosties artisanales ont disparu, elle s'étend dans le jardin du lotissement et s'en remet à Dieu.

Le troisième jour, le petit frère lui est rendu. Les miracles existent encore, elle peut enfin se reposer.

Au fil des années, elle abandonne une à une les croyances de son école, un effeuillage naturel dont elle n'a aucune honte.

Quelque part où ça ne se voit pas, elle saigne toujours, les bras en croix.

LA BÊTE

Antoine Villard

Il avait vécu au désert, se satisfaisant d'abord de bien peu, sous la forme d'un petit cactus. On retrace difficilement le chemin qui devait le conduire, plus tard, à formuler les aspirations démesurées en vertu desquelles on se souvient de lui.

Il est certain qu'il fut abreuvé par des pluies rares, et de peu d'ampleur ; qu'il ne put grandir que de manière très lente, sur des périodes brèves, espacées de longs intervalles ; qu'il rapetissa fréquemment, quand les nourritures tombées du ciel s'avéraient trop frugales. Sur ses rapports avec les autres bêtes et plantes, on connaît bien peu. Il aurait été brouté par une gazelle, il aurait disputé sa nourriture à des chacals affamés ; on dit qu'un jour il vit l'oiseau Kerke, qu'on appelle aussi le vautour Ak-Baba. Il n'y en a plus depuis longtemps. Certes, les œufs qu'ont pondus les Kerkes s'observent encore dans quelques nobles demeures ou, à la campagne, dans des maisons de maître, mais de l'oiseau, nulle trace. Que l'objet de notre tentative biographique l'ait réellement vu constituerait par conséquent une indication précieuse, tant pour dater son histoire que pour dater l'oiseau Kerke. Avant d'en venir à son départ du désert, nous devons encore aviser notre lecteur de certains faits utiles.

Il est inconcevable qu'il ait pu élaborer sa première patte avant de disposer de tubercules. Au contraire, il est établi que la croissance de la patte, supposant des ressources nutritives à peu près constantes, était tout à fait impossible dans un lieu de nutrition rare et d'irrigation mesquine, à moins de disposer d'une réserve assez grasse permettant de tirer de soi-même tout le soutien, tout le rafraîchissement voulu. Ces considérations ne seront pas indifférentes à qui veut examiner les choses avec intelligence et attention.

Par ailleurs, à sa sortie du désert, il était déjà composé de plusieurs parties assez complexes, assez autonomes, passablement organisées. Il faut compter, outre les gras tubercules, et avec un tronc ferme, au moins une patte, un museau, une surface verte épineuse, un bout de fourrure et quelques organes sensoriels. Sur l'ordre d'apparition de ces éléments, nous ne nous prononçons pas.

Son parcours le mena dans la Creuse, où il s'adonna bientôt au militantisme et à la politique. Allez savoir maintenant à quoi ressemblait son environnement ! Je me représente la Creuse de l'époque comme une vaste étendue herbeuse, doucement vallonnée. Il y a ici et là des forêts de conifères, ailleurs l'herbe est entamée par des plaques de terre nue. Une odeur d'humidité baigne les lieux. Il y vécut assez longtemps. Il développait sa force de conviction, apprivoisait la période oratoire, savait trouver cette respiration et cette pulsation qui en imposent à un auditoire, la fermeté qui rassure, les hésitations, les doutes savamment dévoilés, qui amadouent. Surtout, il sut à tout moment quelle était sa place. Il ne déploya pas les trésors de sa rhétorique dans les premiers temps, quand il prononçait ses discours dans des salles confidentielles et des salons privés, mais il laissa toujours entendre qu'il serait prêt, le moment venu, à parler plus haut et plus fort. Et c'est ce qu'il fit. Et un temps on voulut en faire un sénateur, ou même mieux. À cette époque, il était beau ; ses yeux avaient beaucoup de feu, son torse était large, ses mains fermes et fines. Mais le temps était venu pour lui d'une nouvelle retraite.

Il se retira dans une parcelle reculée de la forêt cévenole, s'y nourrit de mousses et de feuillage. On le voyait parfois aux abords des villages, tournant autour des cimetières ou accoudé sur les berges d'un ruisseau. Il ne se montrait qu'à l'automne. Ce qu'il fit le reste du temps, on ne le sait pas. C'est pourtant à cette époque qu'il vit le serpent.

Avant d'être condamné à ramper sur la terre, mal nourri par des mammifères rétifs, frappé à coups de bâton, le serpent avait eu des membres. Il avait eu deux bras, et deux jambes. C'est sous cet aspect que se présentait le serpent quand ils se rencontrèrent. La tête du serpent était trop fine pour son cou robuste, mais son visage était gracieux. Ce qui frappait le plus était son extrême pâleur, d'autant plus visible et inquiétante qu'il était nu. Ses bras longs et minces étaient animés de peu de mouvement, le plus souvent au repos. De sa main gauche parfois il couvrait son pubis, y appliquait une pression assez forte. La conversation qu'ils eurent ensemble n'est pas connue.

— Je sais beaucoup de choses, dit le serpent. J'ai habité les champs et la forêt. J'ai présidé à la culture de l'orge. Je connais toutes choses, mais toi, je te connais mal. Je sais que tu es venu du désert, et moi-même j'y ai résidence.

— Je suis venu dans la forêt, serpent, et ce n'était pas pour parler avec toi.

— J'ai l'habitude de parler sans qu'on m'ait adressé la parole.

Un éclat rouge roula dans les yeux du serpent comme une escarbille brûlante.

— Je sais certaine mousse, dit-il, où le soleil fait de beaux jeux. Je sais certaine source d'eau pure, certain gland de pur acajou, qui s'y accommode. Si tu veux, je te les enseigne. La forêt ne te sera plus étrangère, et tu n'auras aucun ennemi.

L'autre partit d'un rire clair.

— Prends garde, serpent, voici que tu rampes déjà. Ne dis plus rien, car je me moquerais de toi. Mais donne-moi la main, et nous aurons notre temps assigné.

Dès lors il vécut avec le serpent, et devait rester en sa compagnie longtemps, car pour longtemps, on ne le vit plus. Et plus jamais, après leur séparation, le serpent ne se montra à personne.

À Paris il fut apprenti boulanger. À pétrir trop de pâte, il se désarticula les phalanges. La farine lui brûla les poumons, mais chaque nuit, le pain sortait du four. Quand il tenait la caisse, il donnait le pain à contrecœur – il en eût volontiers augmenté le prix. Pour le pain qu'il faisait, il aurait fallu le couvrir d'or.

Il oublia dans son pain des grains de blé dur. Puis il en oublia davantage. On s'en plaignait, mais la boulangerie ne désemplissait pas. Les hommes affluaient dans la boutique, emportaient avec eux le pain semé de graines, y mordaient furieusement, parfois dans la rue même, à s'y casser les dents.

Puis ce furent des gravillons. Ce fut négligence de sa part, au début du moins, mais il en mit davantage. Il mêla sa farine de sable fin, de sable grossier. Les hommes toujours plus nombreux réclamaient du pain, rusaient, voulaient choisir les miches, mais lui rusait aussi. Il variait l'espèce et la grosseur des pierres, tantôt silex, tantôt granit, améthyste parfois, et ces petites pierres jaunes, qui ressemblaient à des grains de blé ; un peseur de caroubes en perdit sa molaire sur un grenat énorme.

Alors, dans le réseau des artères et des carrefours qui s'éloignaient de la boulangerie, partout où l'on consommait le pain, plus loin peut-être sur les routes de France, naquit une sourde résolution.

La rumeur enfla dans les rues humides, qui éclataient de protestations véhémentes. Il y eut cris, il y eut foule. On marchait au pas, on se massait devant la boulangerie. On y entra pour le prendre, mais il n'y était plus. Et comme les visages éperdus se consultaient les uns les autres à travers la ville immense, il marcha sur eux, marcha sur la ville, il fit face au monde entier qui s'était massé devant le Panthéon, et cria :

— Hommes de toute la Terre, vermines, hommes de Paris, qui ne valez pas une fable, comment voudriez-vous une bouchée de pain ! Je fus mite au désert, dans ma retraite je connus le serpent. Ma voix fut politique, hommes, et mon pain est un trésor que vous avez chéri au-dessus de tout autre. Il a brisé vos dents, mais mon pain est plus précieux que vos dents. Ne voyez-vous pas que vous êtes la graine et le gravier de la miche que je croque ? Qui voudrait d'un pain qui ne fût fait de graines, qui voudrait une graine qui n'eût pas de matière ! Hommes je vous quitte, mais sachez que j'ai été plus grand que vous. Je me suis offert à vous pour être votre farine, hommes, et vous avez prétendu l'accepter sans contrepartie. Pour votre boisson, vous n'aurez plus de moi que ma salive, car, hommes, je vous crache au visage !

Et il partit dans les nuages.

On raconte qu'il fut depuis cosmos, on en conclut qu'il le fut toujours. Il semble, en vérité, qu'il ait eu de tout temps la passion de l'ordre. Peu se souviennent aujourd'hui de lui, de son passage, ou du temps où il fut manifeste. De la couleur de sa peau. Il ne reste qu'une parole obscure, qui va, se disloque, au vent d'été.

SEPT RAISONS POUR T'ÉCRIRE UN POÈME

Roseline Lambert

1.

                    a straight line,
          not   *but a*
      is   *series*
« poem   *of arcs[1] »*

la tension de ma main répercute ton clignement
sur la courbe de ma page
tu suis du doigt la ligne où j'inverse :

---

1. « Le poème n'est pas une ligne droite, mais une série d'arcs » (NDLR : Les traductions en bas de page sont de l'auteure.)
Dell HYMES, *Now I Know Only So Far : Essays in Ethnopoetics,* Lincoln, University of Nebraska Press, 2003.

2.

«*flèches* *bout à bout*[2] »
rouges *les flèches*
en haut *toutes*
des portes *j'ai suivi*
c'était écrit :
yes we are open

oui je l'entends ce son
le murmure augmente quand tu lis
il débride ma tête
à la racine :

---

2. Michel X. CÔTÉ, « Les flèches rouges », sur l'album *Les derniers humains* de Richard Desjardins, 1988.

3.

« Talk is never bare words.
 Talk is silence.
 Talk might seem to be   *blown away*

        by the wind of the lips,
          but it never is[3]. »

ici

        j'attaque la note elle blanchit
        devient long feulement
        elle dit :
        les filaments de l'arc naissent
        dans l'ébrouement du cheval

        sur le doigt la résine
        je tiens la corde je l'assois
        dans le pli du bois notre résistance

---

3. « Les paroles ne sont pas mots nus. Parler est silence. Les paroles peuvent sembler partir au vent des lèvres, mais il n'en est jamais rien. » Greg Dening, *Address to the Pacific History Association*, Canberra, 28 juin 2000.

4.

« poetry is not an
o
r   *to*
n   *it is*
a   *d*
m   *a*   *w*
e   **place**   *e*
n   *l*
t :   *l*[4] *»*

je cambre les lettres que tu assembles je laisse des blancs

très
  creux
    un
      espace
        où on

chute

cela a dû arriver tout cela

---

4. « La poésie n'est pas un ornement, c'est un endroit où habiter. »
Renato ROSALDO, *The Day of Shelly's Death: The Poetry and Ethnography of Grief*, Durham, Duke University Press, 2014.

là

exactement à cet endroit de ton texte j'ai succombé dans
la longueur du *portamento* des feuilles qui tombaient

une
à
une

dans mon pelage je recueillais ta
brassée et je faisais une place :
ton bruissement au centre de mon
ronronnement

5.

« Cela n'a pas de sens de s'attendre qu'un paysage vous dicte des poèmes, parce qu'un poème est fait d'idées, de paroles et de syllabes, alors qu'un paysage est fait de feuilles, de couleurs et de lumières[5] »

et toute la lumière qui change quand tu bouges
un passant dans les filages du résonateur
sur un papier je fixe les formes de ta portée

---

5. Italo CALVINO, « L'envers du sublime », *Collection de sable*, Paris, Gallimard, 2013.

6.

« *poem* works *by changing reality: when Housman though of a great line while shaving, it made* "his skin bristle, his spine shiver, and the pit of his stomach receive something like a spear[6]" »

demi-soupir je me courbe
dans quel champ sur quel tracé apparaître
où viser dans le cercle embué du miroir

---

6. « Le poème se façonne en changeant la réalité : quand Housman pense à une ligne remarquable en se rasant, cela l'atteint : "sa peau se hérisse, son épine dorsale frissonne et il se fait transpercer par quelque chose comme une épée dans ses tripes" »
Paul FRIEDRICH, *Poetry and Anthropology,* Chicago, Benjamin and Martha Waite Press, 1978.

7.

« telling stories properly
also involved
being
caught up
in
them[7] »

nos mains tremblent dans les plis
lire cette rumeur
le final
qui nous attrapera galopant
à travers la couverture

---

7. « Raconter des histoires de manière exacte implique également de s'y retrouver captif »
En écho : Edward SCHILLEBEECKX cité par John S. BOWDEN (1983), à son tour cité par Dell HYMES, *op. cit.*

UNE CAISSE DE VINGT-QUATRE

Sarah-Louise Pelletier-Morin

Carnet sur ma quête de transcendance

Quand j'ai appris qu'on allait vendre la IPA du Nord-Est en cannettes en plus des fûts, j'ai parcouru les dépanneurs des quatre coins de la ville pour m'en procurer – il était presque déjà trop tard, il ne restait plus que quelques spécimens. D'autres s'étaient visiblement engagés, avant moi, dans la même quête. J'ai tout de même réussi à me constituer une caisse de vingt-quatre.

Cette bière me suspend chaque fois dans un lieu nouveau. La jouissance qu'elle engendre me donne parfois envie de me déposer en elle, ou de m'y abîmer.

J'ai eu envie de répertorier les différents lieux où m'a portée cette quête, en décrivant comment la IPA du Nord-Est m'entraînait parfois vers une expérience du « méta ». Une seule contrainte, celle d'écrire sous l'effet de cette bière.

* *
   *

Au début de l'histoire, je veux dire, avant la quête, avant l'achat, avant les prières, il y a une Catastrophe.

Mais n'en disons rien.

Car si son désastre insiste dans chacun de mes mots, elle demeure informulable.

Bière n° 1
    Inutile d'attendre une occasion spéciale,
    c'est ce soir que j'inaugure la caisse.
    Constat : *Dieu que c'est bon.*

    Ça jouit, mais ça fait obstacle aussi.
    Constat : *Jouir n'a rien à voir avec « être contente ».*

Bière n° 2

Je sais que c'est la Catastrophe qui m'a portée jusqu'ici,
au dernier seuil.
Essaie encore.

Je me suis déjà engagée dans toutes sortes de
tentatives : errance, passion, nœud coulant. J'ai tenté de
rejouer l'entrée dans mon corps, dans ma langue, dans
mon territoire, dans ma temporalité.

Il n'y aura ce soir ni autel ni encens, mais un décor
investi symboliquement, sans doute une table de salon
et quelques cigarettes.

    Boire ne m'aide
pas à retrouver l'axe
initial,
mais m'ellipse,
  signe mon dérèglement, et je n'atteins plus mes bords.

  Constat : Mes alexandrins reprennent du souffle.

  Ce sera une transcendance horizontale.

Bière n° 3
    Effet euphorisant : les mots sont plus
    que des choses, sonnent ce soir avec
    une envergure jusque-là inédite.

Il faudrait traverser un univers lyrique
Comme on traverse un corps qu'on a
beaucoup aimé
Il faudrait réveiller les puissances opprimées
La soif d'éternité, douteuse et pathétique[1].

    Je lis ces vers et pense qu'il ne s'est
    rien écrit d'aussi proprement poétique
    depuis Baudelaire.

    Constat : *Le verre est vide.*

    Malgré moi, quelque chose opère.

---

1. Michel HOUELLEBECQ, *Non réconcilié. Anthologie personnelle* 1991-2013, Paris, Gallimard, 2014, p. 57.

Bière n° 4

Rien à espérer de cette quatrième bière,
elle n'a rien d'aussi excitant que les trois premières,
mais ne s'est pas encore approprié la vertu de l'habitude.

C'est toujours moi sous le *je*
et *je* ne suis que du manque.

Constat : *Il faudrait que je m'informe sur l'autotranscendance.*

Bière n° 5
Recherche du *protée* infatigable, de ma
liaison au monde.

Je n'ai pas retrouvé mon désir.

J'ordonne qu'on me trouve
un désir,
qu'on me gave d'illusions
nécessaires, d'ontologie,
d'être-là et de foi.

Trouvez-moi une
satisfaction substitutive, une
pulsion refusée.

Pendant ce temps, une bière
fait la job,
revêt valeur d'icône.

Bière permet : répétition,
incarnation, épiphanie,
transsubstantiation.

Bière se nomme, s'adore
facilement, se consume
comme une prière.
(La *bière n° 6* s'est glissée
ici, tout de suite après. S'est
confondue. Longue, longue,
prière.)

Bière n° 7
Immanence, ce soir.
À boire, la durée d'un cycle « quick dry ».
Quarante-six minutes.

Bière n° 8
Constat : *Lacan n'aide pas l'affaire.*

Bières n° 9 et bière n° 10
    revoir F.
    trois mois d'absence

    partager une IPA du Nord-Est
    avec lui
    n'épouse pas l'ordre du monde

    là où le manque s'était creusé
    un peu plus
    dans chaque gorgée
    cette bière faisait office de remplacement
    œuvrant à titre de symbole
    pour signifier son absence

    F. se trompe, dit constamment
    « elle est pas mal bonne cette bière du nord-wouest »
    avec son accent ostentatoirement
    francophone
    comme s'il cherchait à nier
    son accent ostentatoirement
    anglophone

    Constat : *Je ne peux pas dire lequel de F. ou de la IPA du Nord-Est me fait sentir le plus radicalement autre, insaisissables qu'ils sont tous deux dans leur présence pleine, merveilleuse.*

    Une présence qui signifie chaque fois leur absence imminente, le manque à venir.

Bière n° 11
Je bois souvent pour accélérer la fatigue et l'inertie,
quand je ne me supporte plus à la verticale.

Je bois parfois pour retrouver la trace du désir et
sa rhétorique,
quand la chair fige.
Sa loi pourrait peut-être rendre mon corps mobile.

Constat : *Mon rapport à la croyance, intermittent, se
résume aux chants du corps.*

Bière n° 12
Il reste douze bières.
Quatre semaines se sont écoulées.

Constat : *Ma transcendance ne cesse d'approcher la Catastrophe.*

Je tends vers un nouveau désastre qui ne soit pas innommable.

À suivre

IL Y A DES POMMES

Jason Roy

« Faudrait que tu visites Jeannette, va donc passer le week-end avec elle, ça lui fera plaisir. » Ma mère s'inquiète pour la sienne et elle me renvoie la balle. Je l'aime beaucoup, grand-maman Jeannette, mais en pleine mi-session, avec les travaux qui s'empilent... Enfin, peut-être que ça me ferait du bien, un peu de campagne. Je pourrais emporter mes livres, m'installer dans son pavillon de jardin sous le grand saule. Elle me préparerait une tisane, viendrait jaser un peu. Pourquoi pas ? « D'accord, maman, mais tu payes le ticket d'autobus. » Son sourire veut dire qu'elle consent. Tant mieux, plus je pense au grand air, plus l'idée me plaît.

À mesure que le véhicule grimpe les Appalaches et s'enfonce dans les couleurs de l'automne, le voyage me prouve que j'ai bien fait de partir. Arrivée au terminus de S., je saute dans un autre bus qui me dépose, tout au bout de son trajet, sur la grand-route menant au village. De là, je fais du pouce. Dans le coin, on n'attend jamais trop longtemps et les gens sont sympathiques. Dès que je mentionne être la petite-fille de Jeannette, on me sourit, les plus vieux l'ont eue comme maîtresse d'école, les plus jeunes l'ont connue comme « madame la directrice », plusieurs me parlent de son travail au conseil municipal. Grand-maman est un peu une star par ici. Aujourd'hui, c'est Louis, le fils du boucher, qui s'arrête et me fait une place dans sa camionnette. Il me parle des nouveautés du village à mesure que l'on approche de la rue Principale, puis me dépose devant l'église en me glissant, juste avant de fermer la portière : « Tu diras bonne chance à Jeannette pour les travaux dans l'écurie, tout un projet ! » Perplexe, je regarde le véhicule disparaître, ne sachant rien des rénovations en cours chez grand-maman.

Il me faut encore une heure de marche pour me rendre chez Jeannette. Sa fermette se trouve juste avant la grande forêt qui se déploie jusqu'à la frontière. Mes pas font craquer le gravier, un vent doux balaie les champs et les premières feuilles tombées de l'automne. Plus loin, de grosses Holstein relèvent la tête, indifférentes, à mesure que j'approche du sommet de la colline. J'aperçois enfin la maison sur ma gauche, une de ces vieilles demeures en pierre qui tient debout depuis le dix-huitième siècle. Dans les années cinquante, mon arrière-grand-père a fait ajouter une rallonge, vers l'arrière, et une galerie entourant trois côtés du bâtiment. Avec le temps, les enfants sont partis, les vieux sont morts, et Jeannette s'est retrouvée seule dans son domaine. Derrière la maison, deux autres bâtiment : la grange et l'écurie. La première, avec le temps, s'est transformée en lieu d'entreposage et regorge de milliers d'artefacts : machinerie et outils qui ne sont plus guère utilisés. La seconde abritait jadis de nombreux animaux. Ma grand-mère ne possède plus de chevaux, mais offre pension durant l'hiver. Je constate, contre un mur, des palettes chargées de matériaux. Une camionnette est garée devant. Je vois disparaître un homme, costaud, qui a agrippé un sac avant de pénétrer dans le bâtiment. Arrivée plus près de la maison, je remarque que Jeannette se trouve là, assise devant une tasse de thé, sur la galerie, à observer ma descente. Elle se lève et je me précipite dans ses bras. Nous restons enlacées.

Jeannette aura beau être grand-mère, elle porte admirablement sa mi-soixantaine. La vie au grand air, l'activité constante et la bonne bouffe ont certainement contribué à lui conserver un air de jeunesse. Elle me pousse gentiment vers l'intérieur. On ne s'est pas vues depuis Pâques, elle a des tonnes de choses à me raconter. Je ressens son énergie, elle pétille et appuie de nombreux sourires chacune de ses phrases. En refermant la porte, je vois son regard errer un temps en direction de l'écurie, puis elle se précipite vers la cuisinière. Une odeur de sucre d'orge fondant emplit l'espace. Elle pose une pomme devant moi, encore dégoulinante de sirop écarlate. « Ma belle, comment va l'université ? » Je partage avec elle des impressions vagues sur les cours, la folie des fins de session. Elle m'écoute, intéressée, se ressert du thé, joue avec sa petite cuillère dans la tasse, me sourit toujours. Parfois, elle ne peut retenir un nouveau regard, de biais, par la fenêtre de la cuisine. « Grandmaman, ça a l'air que t'as des plans de refaire l'écurie ? » Ses yeux se plantent dans les miens. Elle hésite. « Oui, ma chérie, des petites choses, par-ci, par-là. Je refais les stalles. De l'entretien. » Un voile rosé semble flotter sur ses joues lorsqu'elle prononce ce dernier mot. Enfin, elle m'invite à monter à la chambre d'ami pour m'installer. Je l'embrasse, attrape mon sac à dos et grimpe l'escalier. Dans le corridor, une fenêtre permet de voir la cour arrière. J'aperçois l'ouvrier, de dos, s'asseyant dans sa camionnette. Il doit faire six pieds, porte des jeans noirs et une veste de cuir, noire aussi. Je n'arrive pas à voir son visage. Le véhicule soulève une tonne de poussière avant d'atteindre le chemin et de s'évanouir à l'horizon, vers le village.

La nuit de vendredi. Ce soir-là, je prétexte un excès de fatigue, ce qui n'est pas entièrement faux, pour me coucher de bonne heure. « Mais oui, ma belle, va te reposer, je vais lire dans le salon. » Ma grand-mère a toujours eu le sommeil assez fragile. Même si je dors dans ce lit depuis que je suis toute petite, je ne me m'habitue pas à ses ressorts, qui semblent dotés de la volonté propre de me déplacer les côtes. La chambre sent le vieux. Les motifs du papier peint me sont si familiers – je les observe depuis ma naissance – que je pourrais les reproduire les yeux fermés. Des roses, pâlies, dont les tiges pleines d'épines s'enchevêtrent le long d'une ligne verticale qui part du plancher jusqu'au plafond. Sur la commode, une vieille horloge au tic-tac discret. Le bruit m'a toujours aidée à m'endormir. Je sens d'ailleurs que la somnolence s'empare de moi, quand un son un peu saugrenu me parvient. On dirait une plainte, langoureuse, produite par un quelconque animal. Une lamentation. Difficile de dire si la créature souffre ou appelle ses congénères dans la nuit. Le cri s'arrête, puis reprend. Une chose est sûre, la complainte, assez étouffée, semble provenir de l'écurie. Enfin, l'étrange bêlement s'arrête pour de bon. Je m'endors.

Au petit matin, un effluve de café pénètre dans ma chambre et vient supplanter les autres odeurs. Il n'en faut pas plus pour me faire bondir hors du lit, encore un peu perplexe par rapport aux bruits de la veille. Jeannette est affairée dans la cuisine, un grand bol de préparation à crêpes onctueuse sur le comptoir, deux plaques chaudes sur les ronds, et les premières crêpes déjà empilées dans une assiette. « Viens manger, ma chérie, c'est déjà prêt.

Sers-toi du café et sois gentille de sortir le sirop d'érable de ton oncle du frigo. Il y a des pommes, aussi. » Je ne me fais pas prier. Grand-maman a un drôle d'air, ce matin. Un amalgame de fatigue et d'espièglerie flotte sur son visage, elle sautille dans l'espace entre le comptoir et la salle à manger même si une grimace de douleur vient parfois atténuer son sourire. « Je peux t'aider », que je lui dis en attrapant des pommes, les pelant et les coupant en rondelles. Alors que nous mangeons, elle me raconte des ragots du village. Je ne l'écoute que distraitement, déjà plongée dans mes plans d'études pour la journée. Après le repas et la vaisselle, je l'embrasse et monte chercher mes cahiers et mes manuels. Avant de sortir, je remplis de nouveau ma tasse de café. Jeannette, assise sur le sofa inclinable, m'envoie un signe de la main. Je crois qu'elle va faire un petit roupillon. Je sors en silence.

Le vent fait virevolter mes cheveux et les pages de mes livres étendus sur la table, je ramasse quelques pierres pour les tenir en place. J'essaie de me concentrer, de plonger dans la matière revêche, mais la biologie peine à entrer dans mon esprit. Le grand saule danse au-dessus du pavillon, ses branches mouvantes paraissent chercher mon attention. Au loin, j'entends des outardes qui cacardent. Moi qui pensais pouvoir étudier tranquillement ici... les stimuli abondants sont un assaut constant à ma concentration. Mon regard erre en direction de l'écurie. La camionnette n'est pas là, pourtant j'avais l'impression de l'avoir entraperçue depuis la fenêtre de la salle de bain à mon réveil. Devant la grande porte de bois, du bran de scie, une poche de sable renversée, une pelle et un râteau contre le mur. La curiosité me prend, de quoi ont l'air ces travaux ? Le moment me semble opportun, l'homme absent, pour aller fouiner dans le bâtiment. J'avance doucement, pieds nus, vers l'écurie. Une fois à l'intérieur, je suis surprise par l'obscurité. Il y a des fenêtres du côté ouest, mais elles ont été bouchées par de grandes couvertures grises. Une odeur de renfermé, de crottin et de moisissure m'assaille. Je me déplace avec lenteur. Dans la dernière stalle, un bel étalon observe mon arrivée. Il doit s'agir d'un pensionnaire. Il est splendide, son pelage noir brille par endroit lorsque le peu de lumière des lieux s'y reflète. Il guette chacun de mes pas. Je crois qu'une certaine nervosité s'empare de lui à mesure que j'approche. Il se met à piaffer, retient ses hennissements. Je tente de le rassurer. Je n'ai pas peur des chevaux, bien au contraire, et, avec patience, malgré son stress évident, je finis par poser ma main derrière son oreille et lui caresser le cou en chuchotant des mots doux. Enfin plus calme, le cheval me permet de scruter certains éléments du décor qui déjà avaient attiré mon regard. Il y a quatre bottes de foin sur la droite, disposées les unes contre les autres. Une barre de métal traverse la stalle de part en part, de longues courroies de cuir pendouillent de celle-ci. La paille a été remuée, écrasée en son centre. Je remarque enfin, dans le sable, des traces étranges. Des dizaines de lignes qui sillonnent l'espace aléatoirement, comme un doigt qui s'amuserait à dessiner sur la surface. Après un temps, l'appel du devoir vient me titiller la conscience, il faut que je m'y remette. De plus, l'ouvrier pourrait arriver d'un moment à l'autre, et je préfère éviter le jeu des présentations. J'embrasse le chanfrein de la bête et retourne vers le pavillon.

La nuit suivante, je me couche après avoir regardé un peu de télévision avec Jeannette. À la lumière de la lampe de chevet, j'essaie de lire un chapitre de l'un de mes manuels. Là encore, l'effort est trop lourd, je laisse tomber mon livre sur la pile à côté du lit. Sur une étagère, quelques bouquins disposés entre deux serre-livres. J'en retire un vieil exemplaire d'un roman de Huysmans. Sur la tranche, presque effacé, le nom de Jeannette écrit à la mine. Je tourne les pages machinalement, lisant un paragraphe par-ci par-là. Le sommeil s'empare de moi, je n'oppose aucune résistance, ayant tout juste l'énergie d'agripper l'interrupteur et d'éteindre la lampe. Les bruits étranges qui m'arrivent en sourdine font-ils partie de mes rêves? Des pas dans le couloir, puis dans l'escalier. Une chaise qui frotte sur le plancher. Le grincement des stores de la porte d'entrée. J'ouvre les yeux. Un éclat de lune éclaire les roses entortillées du papier peint. Pas convaincue que les sons n'aient été qu'un produit de mon subconscient, je me lève et descends à la cuisine. Un verre d'eau ne me ferait pas de tort, j'ai la bouche sèche. Je porte le liquide à mes lèvres et mon regard se déplace vers la fenêtre de la cuisine. Mon geste se fige. Là-bas, dehors, j'aperçois une lumière qui danse près de la porte de l'écurie, entrouverte. Jeannette, en robe de nuit, s'avance vers le bâtiment. Au moment de passer l'entrée, un homme tout en noir, costaud, dépose une main sur son épaule, semble la diriger. Ils disparaissent tous les deux. Une curiosité sans fin m'envahit. Cet homme est-il le discret ouvrier de ma grand-mère? Des idées, des images m'assaillent. Elle peut bien faire ce qu'elle veut, mais cette balade dans la nuit fraîche, à peine vêtue? Sa démarche de somnambule. Je ne résiste pas à l'envie d'aller jeter un œil. Si tout cela n'est qu'une aventure coquine de Jeannette, je rebrousserai chemin. J'enfile mes pantoufles et un chandail de laine, m'apprête à sortir lorsqu'une plainte, pareille à celle d'hier, résonne. Je reste gelée sur place. Le cri est un mélange angoissant de douleur et de luxure. C'est alors que mon corps, comme un automate, me pousse à sortir et à m'avancer vers l'écurie même si une part de mon esprit m'encourage à rejoindre ma chambre, pressentant un danger incertain.

L'écurie est plongée dans la noirceur, si ce n'est de la stalle de l'étalon. Derrière lui, figés sur une poutre de la structure, deux grands cierges brûlent et jettent une lumière vacillante tout autour. J'aperçois l'œil hagard de l'animal. Il est au comble de la terreur. Sans arrêt, le cri lancinant se répercute dans l'espace. Je ne vois ni l'homme en noir ni Jeannette. Je voudrais partir, mais n'en ai pas la volonté. Mon souffle s'arrête alors que je sens un drôle de frottement contre mes chevilles. Puis un autre. Encore. Quelque chose grouille par terre. Des corps filiformes s'entortillent autour de mes mollets. Un haut-le-cœur me prend, mais je ne vomis pas. Sous la lumière du feu, je m'approche de la stalle et découvre la source de l'effervescence rampante. Des centaines, peut-être des milliers de couleuvres noir et jaune jonchent le sol et se précipitent vers l'intérieur de la stalle. J'ose un regard. Sur la paille, Jeannette est là, les avant-bras ligotés par les courroies de cuir qui pendent de la barre de fer. Elle n'a plus sa robe de nuit qui gît dans un coin. Son regard est terrifiant, ses yeux dardent devant elle emplis d'une violence irréelle. Elle se baigne littéralement dans les reptiles, sa croupe relevée... il y a des couleuvres partout, sur elle, en elle, lui provoquant des spasmes qui parcourent sa musculature. L'étalon respire avec force et me regarde fixement. Ma grand-mère émet de nouvelles plaintes, surnaturelles, graves puis aiguës, d'une intensité qu'on croirait impossible. L'air est chargé d'une odeur âcre. Je n'arrive plus à bouger d'un centimètre, pétrifiée devant l'extase douloureuse de Jeannette qui crie de plus belle. La violence de la scène secoue les profondeurs de mon être, je sens des larmes couler sur mes joues. Tout à coup, d'un geste incontrôlé, le cheval relève un sabot qui, en retombant, écorche l'épaule de Jeannette. Elle laisse échapper un hurlement, ses mains s'agrippent à la paille, alors qu'une déchirure ensanglantée apparaît sur sa peau. Cette blessure n'arrête en rien le spectacle farouche et contre nature. Une éternité paraît s'écouler et je me résigne à observer craintivement lorsque je sens tout à coup revenir le contrôle de mon corps. D'un bond, je prends la fuite et cours comme une insensée jusqu'à la maison, écrasant les corps mous des couleuvres sous mes pas. Avant de rentrer, je jette un dernier coup d'œil vers l'écurie. L'homme en noir se trouve là, sous le rayon de lumière, déchirant l'air nocturne d'un rire féroce.

Je m'obstine depuis des heures à suivre le parcours des roses sur le papier peint, les couvertures au menton, sans oser bouger. Le silence régnait dans la maison, mais j'entends désormais du mouvement dans la cuisine. Des émotions diverses me bousculent depuis les premières lueurs de l'aube. La honte. La peur. L'incompréhension. La voix de Jeannette, qui s'est approchée de l'escalier, me transperce. « Quand tu seras prête, chérie, descends, j'ai mis les croissants à chauffer et la cafetière est en marche. Il y a des pommes. » Rien. Pas même l'ombre d'une inflexion dans le timbre, comme si ce matin était pareil à tous les autres. Comment peut-elle... après tout cela... Je me raisonne. Il faudra bien descendre. Je me lève, péniblement, le corps tout ankylosé. Une odeur de paille humide flotte dans l'air. Je chancelle, sens le décor tourner autour de moi, tombe assise sur le rebord du lit. En bas, Jeannette vient de mettre un disque de jazz. La voix suave de la chanteuse se faufile jusqu'à la chambre d'ami, vient ajouter une couche d'étrangeté à ma situation. Je me remets, me lève à nouveau, enfile mes petites culottes. Je constate à ce moment que je me suis couchée toute nue. J'ai peine à marcher. Difficilement, je titube jusqu'au grand miroir. Là, mon teint extrêmement pâle me sidère, mais pas autant que la longue cicatrice en forme de fer à cheval tachée de sang à peine coagulé sur mon épaule.

FESTINS

Anick Arsenault

À l'aube

il me raconte
en dépeçant le poulet
qu'aux petites heures du matin
après s'être soûlé au rhum
il aime attraper un chat
le rôtir et le déguster

malgré son quart de sourire
je vois d'un nouvel angle
le chaton
jouant à mes pieds

Déjeuner

       sur la place centrale à trois mille mètres d'altitude
       entre les piles de fromages et le chocolat pâle
       il y a un restaurant à trois tables
       où j'ai le choix entre la truite entière
       qui me regarde avec ses yeux frits
       et le crapaud pané
       assis dans l'assiette

En-cas

près des étals ensoleillés
les viscères sèchent tranquillement
à côté des marchandes de fleurs
et des têtes sans peau des cochons

le boudin cuit dans la rue
graisse et sang
mélangés au riz

tiens
des oranges

Dîner

calmars frits
dans mon assiette

sur la table
quatre mouches

deux mortes
une qui s'en va
une qui persiste

je me régale

Collation

entre les cuisses de grenouilles
la cervelle de mouton
les grosses chenilles juteuses
les insectes grillés croquants
le serpent ou le cochon d'Inde
qui tourne sur la broche
je peine à choisir

Souper

j'ai faim

on me présente
une soupe aux yeux de vache
un par bol comme un œuf à la coque
parmi les légumes

je reprends des crevettes

Fringale nocturne

affamée au milieu de la nuit
je dévore un ceviche foncé
le poulpe donne une teinte obscure
au mélange de lime fruits de mer crus
oignon rouge et coriandre fraîche

j'abandonne la larve dans le mezcal
rassasiée

Breuvage

lors de ma mue
je me gave
de raisons de sel et de citron

le cœur rempli
d'écorce d'agrumes et de fraises fraîches
conservé dans un alcool fort

calé au fond de l'armoire
dans un bocal
près des insectes m'évitant

INTIMUS[1]

Christine Daffe

Mon appartement comprend une salle de bain, deux grandes garde-robes et une aire ouverte, immense, parfaitement carrée. De l'entrée ou de n'importe quel coin de cette fameuse aire, j'aperçois tous les meubles, toute la décoration, ainsi que les armoires, comptoirs, lavabo et appareils électroménagers qui constituent la cuisine. J'ai aussi droit à une vue exceptionnelle – la ville entière – grâce aux six fenêtres et à la porte-fenêtre réunies côte à côte. Il n'y a aucun rideau.

Quant au balcon, lui non plus n'a pas été conçu de manière à nuire à ma vue de l'intérieur. Il n'est pas plus large qu'une passerelle et sa balustrade, une ingénieuse création à barreaux blancs ultra-fins, quasi invisibles, n'est guère plus gênante. Il est le *hic*, cependant – il en fallait au moins un dans cet appartement. Le balcon longe les fenêtres, s'étend sur toute la largeur de l'appartement et se prolonge chez la voisine. En d'autres mots, mon balcon et

---

1. Ce texte, tiré du fonds de *Mœbius,* est initialement paru dans le numéro 63 (printemps 1995) de la revue. La présente version a été légèrement modifiée.

celui de ma voisine communiquent. Il y a bien un machin semblable à une balustrade qui les sépare, mais c'est de la foutaise. Une cloison psychologique ! On l'enjamberait les yeux fermés. La voisine se sent fort à l'aise de se pencher un peu par-dessus afin de voir tout ce qui se passe chez moi.

Je m'appelle Patrick. Peu importe ce que je fabrique dans mon appartement, si je tourne le dos à mes fenêtres ou si par exemple je cuisine, je le devine quand ma voisine, sur son balcon, se place dans le coin droit, penchée au-dessus de la cloison, afin de m'observer. On dirait que j'ai des antennes pour ça, un sixième sens.

Ça me fait penser à Pamela, ma sœur. Dès qu'elle entre dans une pièce, vous pouvez compter sur elle, elle vous pointe du doigt la moindre araignée qui s'y trouve. La pauvre bestiole peut bien trottiner au plafond ou s'être nichée dans une encoignure, elle n'a aucune chance. « Là ! Une araignée ! » crie Pamela. Ça ne rate jamais.

J'ai vu ma voisine pour la première fois trois ou quatre jours seulement après avoir emménagé. Un matin. Un rayon de soleil éclaboussait ma nouvelle literie de couleur ivoire. J'étais donc encore étendu sur mon lit, à plat ventre, nu comme un ver, les bras croisés sous ma poitrine, un côté du visage bien enfoncé dans mon oreiller. Je respirais lentement et profondément quand, soudain, je me suis redressé sur les coudes, j'ai levé et tourné la tête en direction de ma fenêtre gauche. Ma voisine me reluquait à travers. Elle a eu un haut-le-corps, et elle a reculé d'un pas.

Elle reculait encore ou se retournait vivement pour rentrer chez elle, je n'en sais rien, ma tête à moi se renfonçait dans l'oreiller. J'avais décidé de ne pas réagir, de ne pas tourner le couteau dans la plaie. Cette femme avait été prise en flagrant délit de voyeurisme et cela m'a semblé en soi un coup dur et fatal à son endroit, donné sans préméditation peut-être, mais un coup quand même, que je pouvais considérer comme une sorte de garantie qu'elle ne recommencerait jamais.

Aucune autre considération ne m'a empêché de me lever précipitamment, d'ouvrir la porte-fenêtre et de sortir la tête afin de lui crier des bêtises. Je ne suis pas prude. Quant à ma *bonne* éducation, elle ne m'a pas retenu non plus. Autrefois, je suffoquais avec, mais là j'aurais été parfaitement capable, je crois, de dresser un majeur sec et pointu, dans son expression la plus vulgaire : va te faire foutre ! Tout était possible puisqu'il s'agissait d'une étrangère.

Plus tard, je la plaignais encore. J'ai imaginé cette pauvre fille tiraillée par la honte, se maudissant, s'arrachant les cheveux, marchant de long en large dans son appartement. Je me suis mis à sa place et j'ai espéré pour elle que nous ne serions pas trop vite appelés à nous rencontrer dans les corridors et les ascenseurs. Je me méprenais sur son compte, car le lendemain elle a récidivé.

Lorsque je l'ai vue à nouveau, qui occupait le coin droit de son balcon, qui se penchait légèrement au-dessus du machin séparateur, ses yeux étaient encore braqués sur mon lit. J'ai détourné les miens aussitôt. Je me suis abîmé dans la stupéfaction. J'avais le souffle coupé. Mon cœur battait plus fort, plus rapidement. Par chance, mon ami Benjamin me retenait au téléphone.

À l'autre bout du fil, il n'en finissait plus, celui-là, il me racontait sa dernière aventure. Il est jeune et beau et, comme moi, il s'en attire des *vraies*, des *capables*. À l'écouter, je me divertissais. Je me suis ressaisi, mais, après avoir raccroché, je suis resté à ma place, immobile, comme quelqu'un qui s'égare dans quelque réflexion profonde. J'ai alors décidé de laisser à ma voisine l'impression qu'elle n'était toujours pas repérée et de reprendre mes exercices. Avant l'appel de Benjamin, je mettais des verbes à la forme indiquée en italique, je remplaçais un infinitif par un passé composé ou un imparfait. Je bûchais fort, sans bruit.

Mon crayon, mes dictionnaires et le cahier de Grevisse, *Nouveaux exercices français,* se trouvaient encore à ma portée sur le bureau. Je me suis donc repenché sur mon cahier et, mine de rien, j'ai tenu ma voisine à l'œil. Le sourire aux lèvres, j'ai écrit dans la marge : *Je t'espionnais, tu m'as espionné, nous nous espionnons...*

Elle exposait les trois quarts de son visage et l'arrondi de son épaule habillée de noir. Elle promenait ses yeux partout où ça se pouvait, y compris sur ma personne. Ce que je ne discernais pas se plaquait sur ses fenêtres et s'alignait à l'étroit pan de mur qui délimite les deux appartements.

Après son départ, je me suis senti en quelque sorte ankylosé. J'avais peine à croire que les objets étaient restés à leur place. On aurait dit que je n'avais pas mis les pieds *chez moi* depuis des siècles. Sans faire de bruit ni remuer d'air, j'ai déposé mon stylo et je me suis levé de mon fauteuil.

Une fois debout, j'ai enfoncé les mains dans mes poches et, les poings fermés, j'ai touché au fond, j'ai poussé comme pour passer au travers. J'ai ensuite aspiré tout l'air que j'ai pu et je me suis mis à marcher. J'ai emprunté une à une toutes les directions possibles, d'un mur et d'un meuble à l'autre, avec l'intention de reconquérir mon territoire.

En marchant, je pensais à ma voisine. J'imaginais sa tête qui vacillait sur des épaules floues, sa tête, une zone sinistrée, bourrée de tics. Je la réprimandais sur le seuil de sa porte. Je lui disais que je n'appréciais pas les fouineuses, pas du tout! Je lui demandais de cesser immédiatement cette *despicable* pratique. Je parlais vite, sans m'inquiéter de savoir si elle comprenait l'anglais.

En français, à cette époque, je n'aurais pas tenté une colère. En français, encore aujourd'hui, si je parle trop vite, je me heurte aux *u*, aux *ou*, aux *eu* et aux *oi*, je trébuche sur les verbes, je cavale derrière un colimaçon. Cette voisine n'avait certainement pas la conscience tranquille. Même en babylonien elle saurait de quoi je parle. Elle devinerait où je veux en venir. Je la prévenais sérieusement. En fin de programme, je lui promettais, en cas de nouvelle récidive, un petit numéro tapageur au même endroit, histoire d'éveiller la curiosité de nos voisins d'étage, de l'humilier publiquement.

La projection a stoppé quand, approchant d'une fenêtre, j'ai décidé de croire dur comme fer que la voisine ne s'aviserait pas de recommencer. Je suivais des yeux les contours de la ville sur un fond orangé. Je ne confondais pas la rêverie et la réalité, non, mais je ne voyais pas pourquoi ma voisine prendrait le risque de me voir un jour pester dans l'embrasure de sa porte, tel que je venais de me l'imaginer. Je ne voyais pas non plus quel intérêt ou quel plaisir elle tirerait à zieuter encore et encore du côté de ma vie privée.

À mon avis, une fois de plus, l'incident était clos.

Pour sa troisième apparition, je n'étais donc pas mieux préparé que pour les deux premières. Je suis resté sur le cul, conservant à ses yeux une attitude normale. Je lisais. Mais plus tard, tandis qu'un râle rétrospectif me coupait l'appétit, j'ai juré que, la prochaine fois, elle aura réellement affaire à moi!

Je me connaissais lamentablement, car le même jour, en fin de soirée, elle m'a refait le coup et je me suis contenté de tourner la page – je lisais *Justine,* l'édition bilingue – et de poursuivre ma lecture jusqu'à ce que je tombe de sommeil.

Le lendemain encore, je suis demeuré calme, l'air imperturbable alors que la voisine m'observait. Je ne me souviens plus de ce que je fabriquais, mais ça devait être important. J'ai reporté à la prochaine fois une quelconque réaction. Et ainsi de suite, de fois en fois, de sorte qu'après une semaine, dix jours peut-être, j'ai cessé de compter le nombre de ses apparitions et pris le parti de la laisser faire. Après tout, elle restait de son côté, sur *son* balcon, et derrière la vitre elle ne me dérangeait guère plus qu'un de ces obscurs et fuyants personnages de fiction, sans beauté, sans voix.

Je n'avais pas compris qu'avec le temps, je serais condamné à la tolérance. Il a fallu que nos regards à travers la vitre se croisent malgré moi, à plusieurs reprises, que des semaines et des mois s'écoulent pour que je m'en rende bien compte. Je n'ai rien osé ensuite, de peur d'être aussitôt contraint à en discuter avec elle. Il me semblait – il me semble encore – qu'une voyeuse ou un voyeur ne vous craint pas, ne recule pas et ne s'éloigne pas pour de bon de vos fenêtres s'il (ou elle) vous a déjà rangé du côté de ceux qui tirent un certain plaisir à être vus. Un rejet, s'il a trop tardé, n'est pas pris au sérieux. Il risque même d'être interprété comme une sorte de provocation ou d'invitation à passer aux actes (sexuels). Un voyeur que l'on n'a pas repoussé dès ses premières apparitions trouverait pour sa défense un moyen d'inciter sa victime à avouer sa propre tendance : l'exhibitionnisme.

J'ai pris nos rencontres en considération. Elles avaient été brèves, mais fréquentes. Nous nous étions croisés par hasard, dans l'ascenseur, à la buanderie, au supermarché et, à ces occasions, pour me piéger toujours et davantage, je m'étais comporté comme si de rien n'était. Elle pareillement. J'avais par ailleurs remarqué son joli minois, sa taille de guêpe, sa chevelure énorme, longue, noire, frisée, ainsi que ses yeux noisette et sa peau claire, sans imperfection.

Piégé, je l'étais sans aucun doute. Mais j'ai compensé. Par exemple, pour rigoler, j'ai envisagé l'achat d'un paravent afin d'obstruer ma fenêtre à gauche. Sans elle, ma voisine en était quitte pour la contemplation du paysage. De mon côté, je ne perdais pas grand-chose. Le spectacle extérieur survivait.

Le même jour, le même esprit m'a dicté un court message : *ton voisin n'est pas exhibitionniste.* Je l'ai écrit en gros caractères noirs sur fond blanc. Je l'aurais collé temporairement sur la fenêtre de manière à ce que ma voisine puisse facilement le lire au lieu de me regarder. J'ai ri comme un fou avant de froisser la feuille et de la jeter à la poubelle.

J'ai le plus souvent compensé en écrivant. Je traitais bien ma tolérance. Je décrivais en détail l'inconduite de ma chère voisine. Je consultais à tout bout de champ mes dictionnaires et mon guide des conjugaisons. Je m'amusais. Je m'appliquais comme un bon élève...

Ça se passe donc bien entre ma voyeuse et moi. Publiquement, nous échangeons des politesses à la manière de tous les autres locataires entre eux. Nous parlons de la pluie et du beau temps. Nous ne faisons jamais allusion aux choses ou aux scènes qu'elle a pu observer chez moi. Nous ne prononçons même pas le mot *balcon,* craignant de créer un malaise.

Elle travaille. Je ne sais pas pour qui ni dans quoi, mais elle travaille à proximité de notre immeuble, du lundi au vendredi, de neuf heures à dix-sept heures, et elle a droit à une heure pour manger, entre midi et treize heures très exactement. C'est certain parce que tous les matins et les midis des jours de semaine, à moins d'averses ou de vents violents (rares), elle me consacre les dix minutes qui précèdent son départ. Elle sort sur son balcon avec sa tasse de café. Elle regarde droit devant, dans le but probablement de contempler le paysage, puis elle s'approche de mes fenêtres et, du coin de l'œil, elle procède sur ma personne. Je suis porté à croire à une sorte de rite.

Matin et midi, pourtant, je ne m'offre pas en spectacle. Il n'y a rien d'excitant à voir. Pour moi, rien d'énervant à être vu. Je suis presque toujours assis à mon bureau, devant mon ordinateur ou penché sur un de mes cahiers. Ou encore j'étudie dans l'obstination d'améliorer mon français, je lis des romans. Ça doit lui sembler grave et sérieux.

Le soir, au contraire, je suis ouvert à toutes sortes d'activités. La voisine, de son côté, peut traînasser sur son balcon et s'éterniser dans son rôle de voyeuse. Il y en a des *hot,* des sorties formidables pour elle, des occasions uniques de reluquer ma personne dans sa plus stricte intimité. Je ne prémédite jamais rien, mais considérant qu'il fait parfois frisquet sur le balcon, que la pauvre fille se donne beaucoup de mal et prend certains risques, par exemple, j'accepte d'attenter à la pudeur.

Je me souviens d'avoir constaté sa présence alors que je sortais de la salle de bain – j'avais rendez-vous avec Régine. J'étais vêtu d'un peignoir. J'aurais pu attendre un peu et vaquer à d'autres occupations, mais non, j'ai laissé tomber le vêtement à mes pieds, je me suis habillé lentement, nonchalamment, comme d'habitude.

Plus récemment, j'attendais Régine d'une seconde à l'autre. Elle avait sonné. J'avais déclenché la sonnerie d'ouverture au rez-de-chaussée et déverrouillé la porte de mon appartement afin qu'elle puisse entrer chez moi sans me déranger. J'étais indécent, bien assis dans mon fauteuil, sous un éclairage voilé d'un fin tissu rouge. Je portais, déboutonnée par surcroît, une chemise et rien d'autre. Les jambes écartées, entre mes pieds sur le plancher reposait un coussin, rouge lui aussi. J'attendais, fin prêt, exactement comme Régine me l'avait demandé une heure plus tôt au téléphone. Je regardais devant moi en tâchant de me détendre. Bref, je fixais le coin, le gauche, lorsque ça s'est produit : les deux femmes se sont amenées simultanément. La voisine a pris sa place, s'est immobilisée dans le décor, tandis que Régine traversait la pièce.

De la porte d'entrée – qu'elle a refermée et verrouillée dans un même élan – au coussin rouge où elle s'est agenouillée en me regardant ardemment, Régine ne s'est pas arrêtée et n'a prononcé aucune parole. Après un petit moment, elle s'est jetée sur mon sexe. Elle lui accordait d'énergiques et puissantes faveurs manuelles et buccales. Quant à moi, j'en ai profité pour dévisager ma voisine. Je lui ai souri. Je me suis mis à sa place. Elle ne bronchait pas. Elle n'appréhendait donc pas que je prévienne l'autre obsédée de sa présence. Elle avait confiance en moi. Elle me regardait droit dans les yeux malgré ce qui se passait plus bas.

Mon plaisir d'imaginer la scène de *son* point de vue s'est ajouté à celui de la chair, l'a surchargé.

L'ORÉE D'UN CRIME

Frédéric Parrot

Il est si rare, à l'âge adulte, de goûter un plaisir nouveau. Hier, à vingt-six ans, Philippe a vu les possibles de son existence se multiplier. Une confiance nouvelle donne du ressort à sa démarche ce matin. Il entre dans le laboratoire et affiche une hauteur, une arrogance que les incertitudes et la lenteur de la recherche scientifique ont fini par éroder chez lui au cours des trois dernières années. Personne ne le remarque : ses collègues doctorants sont tous plongés dans le puits de leurs travaux. Ils s'y embourbent, sérieux, cernés et pâles, espérant que les douze à quatorze heures par jour qu'ils y consacrent les empêcheront de s'y noyer. Quand la porte du laboratoire se referme derrière lui, Philippe pose son regard sur les terrariums des crotales, disposés au fond de la pièce. Il a rêvé la nuit dernière qu'il s'éveillait dans l'un de ceux-ci, chez les reptiles carnivores, écailleux et sensible comme eux, caressé par les infrarouges d'une lampe chauffante. Aujourd'hui, il se sent frétillant comme une queue à sonnette. Ses envies routinières de gin, de vacances à Barcelone, de sexe, de *binge watching* et de paris sportifs, qui contaminent son oisiveté, se sont évaporées. L'odeur du café velouté le frappe de plein fouet. Lui n'en boit plus. Il s'est sevré des mois plus tôt. Chassant l'odeur d'un soupir vif, il regarde à nouveau les terrariums, puis observe la chaise vide du professeur Simard – ce dernier fera sa tournée du laboratoire à 7 h 55 précises. Philippe est affamé comme s'il venait de traverser en rampant le désert de Chihuahua, contraint au jeûne. Il s'assoit et fixe Simon. Celui-ci l'ignore, plongé dans la révision d'un article scientifique que Simard soumettra à une prestigieuse revue américaine. Philippe insiste. Son regard insiste, engloutissant Simon, l'enduisant de liquide lacrymal pour le lubrifier et pouvoir l'avaler tout rond. Il écarquille les yeux et pointe la langue entre ses lèvres desséchées. Mireille, une professionnelle de recherche, capte son expression et croit que Philippe imite son directeur de thèse, qu'il raille son air de *psychologue voyeur.* C'est le titre qu'elle donne à Simard quand il questionne ses doctorants et les oppose les uns aux autres. Ce sera l'expression qu'arborera le professeur à 7 h 55 précises. Mais Philippe ne raille rien. Il repense à hier, à la complainte désespérée de Simon, à son plaisir nouveau.

L'espèce *Crotalus horseloverfati* a été découverte par le professeur Simard en 2002 dans la portion mexicaine du désert de Chihuahua, non loin de la frontière texane. Ses mœurs exclusivement nocturnes l'avaient dérobé au recensement scientifique jusqu'à ce que Simard lui-même procède à son inventaire écosystémique détaillé de trois zones climatiques arides d'altitudes différentes au tournant du millénaire. C'est elle qui peuple les terrariums empilés au fond de la pièce, à gauche de la porte d'entrée du laboratoire de Simard. C'est elle qu'étudient, de douze à quatorze heures par jour, ses doctorants. L'espèce a l'apparence typique du *Crotalus* – le *serpent à sonnettes,* avec cascabelle sonore, crochets à venin, pupilles verticales, tête plate, large et triangulaire aux yeux proéminents –, mais l'acuité de ses sens est inégalée. Bien que tous les spécimens sauvages observés passent leurs journées lovés dans des crevasses rocheuses et qu'ils ne s'activent que la nuit, les mécanismes évolutifs ne les ont pas privés d'une excellente vision. Comme tous les crotales, *horseloverfati* est doté de fossettes sensorielles situées à mi-chemin entre les narines et les yeux, tapissées de terminaisons nerveuses thermosensibles capables de détecter les moindres fluctuations du rayonnement infrarouge. Il peut, dans une obscurité totale, *voir* tout ce qui dégage de la chaleur avec une précision tridimensionnelle supérieure à ce que lui permettent ses yeux en plein jour, et qui va bien au-delà des capacités que possèdent les autres espèces étudiées à ce jour. Simard l'a démontré. Ou l'un de ses doctorants, mais qu'importe. Le professeur est fier du résultat : c'est le genre de preuve scientifique qui permet de bousculer l'humain hors de l'anthropocentrisme et de ses conséquences funestes, comme la religion. Le cerveau du serpent se construit un modèle de l'environnement par autre chose que des yeux. L'humain le conçoit difficilement, mais l'admettre l'oblige à accepter que sa perception du monde n'est qu'un tableau subjectif, une scène de théâtre qui change selon l'éclairage. L'univers n'est pas fait pour l'humain. Il ne s'appréhende pas que par les longueurs d'onde auxquelles la rétine de l'*Homo sapiens* est sensible. Et Simard a trouvé encore mieux que les fossettes sensorielles pour illustrer ce fait : l'organe de Jacobson de ses crotales. Tous les serpents en possèdent un, mais le raffinement de celui de *Crotalus horseloverfati* est sans égal. Par le va-et-vient continuel de sa langue bifide, le serpent recueille les molécules qui flottent dans l'air, même si elles s'y trouvent en infime concentration, et les rapporte à son organe de Jacobson, hérissé de cellules qui ne sont ni gustatives ni olfactives – en étant les deux à la fois et sans doute autre chose encore. Quel modèle du monde se construit alors la créature? Que *voit* la bête? Voilà ce que cherche Simard. Ou ses doctorants, mais qu'importe. Des individus génétiquement modifiés, privés de venin, de rétine et de fossettes thermosensibles, sont sacrifiés chaque jour sur l'autel de la science, écorchés, trépanés, décalottés, le cerveau dardé de sondes, dans le but d'accéder au monde sensoriel unique du *Crotalus horseloverfati*. Simard a la conviction que le serpent aveugle qui rampe près d'un tas de pommes les *voit* simultanément dans leur rondeur, leur texture et jusqu'au cœur, comme le Picasso cubiste attaquait un portrait sous tous les angles à la fois, qu'il les hume et s'en délecte sans même y mordre, qu'au lieu de les classer par couleur, il saurait les classer par degré de maturité, et que les molécules qu'elles exhalent jouent des mélodies, des accords et des symphonies dans sa tête dépourvue d'oreilles. Le monde de son crotale est un ailleurs et il entend le démontrer.

«Si j'suis fâché? Tu m'niaises! J't'en tabarnak! a dit Simon le jour d'avant. Les résultats publiés ont beau être ceux de Li, c't'avec *ma* méthode qu'il les a obtenus, crisse! Ça m'a pris un an pour optimiser les paramètres de l'expérience... Li a suivi une recette, celle que j'ai écrite, et c'est tout! Pis c'est moi qui a écrit l'article! Pis c'est moi qui l'a révisé. Pis où j'me r'trouve dans la liste des auteurs du premier draft? Troisième, tabarnak! Ça sentait déjà la crosse... Simard en premier, ben sûr, toujours le prof en premier... C'est du vol, mais au moins tout le monde est au courant. Mais qu'y ait osé me demander de mettre le nom de Li en deuxième, c't'une vraie joke! Li a pondu ses résultats en trois mois seulement parce que *ma* méthode est parfaite. Un étudiant de cégep un peu déniaisé aurait fait aussi bien que Li, calvaire. Pis parce que Tremblay a programmé une partie du logiciel, a fallu que j'la mette aussi dans la liste des auteurs. Auteure mon cul ! A l'aligne trois mots pis a fait dix fautes. Tu veux pas d'elle comme auteure ! Mais est-ce que j'ai eu le choix, tu penses ? Simard m'a dit *persévère, persévère jeune homme,* avec son maudit ton de Yoda. Avec son p'tit sourire en coin. Avec ses lèvres fendues pis son bout de langue blanche. *Persévère...* J'tu écœuré ! Je sortirai jamais du lab si j'ai pas de publis à mon nom. J'suis sûr que Simard a fait exprès. J'suis sûr. »

La version publiée de l'article *Sensitivity of* Crotalus horseloverfati *to high molecular weight pheromones – A neurophotonic approach* compte trois auteurs: Simard, Li et Tremblay. Mystérieusement, le nom de Simon est tombé hors du papier avant que celui-ci atterrisse dans le *Journal of Neuroscience.* C'est hier que Simon l'a appris. Hier qu'il s'en est plaint. Hier que Philippe a vu les possibles de son existence se multiplier. Il a trouvé un plaisir neuf à déguster le désespoir d'autrui. Il n'a rien dit durant la tirade de Simon : toute sa conscience était condensée dans ses sens. Simon s'est senti écouté. Avec raison : Philippe l'écoutait, et le scrutait, et le humait. La colère impuissante du doctorant trompé parfumait son haleine et sa sueur. Des afflux sanguins valsaient sous l'épiderme de son visage, au rythme de ses emportements. Sa voix était abrasive quand il murmurait, et acérée comme une dague quand elle grimpait dans les aigus. Jamais Philippe n'avait ainsi mis à nu l'âme d'un autre. Durant un bref instant, il a fermé les yeux et pénétré toutes les couches de la terreur de Simon. Il l'a forée jusqu'au cœur pour mieux en jouir. Les circonvolutions du cerveau de Simon se sont déroulées dans le sien. Pour la première fois de sa vie, Philippe a senti l'autre craquer entre ses crocs, se dissoudre sur sa langue, se sublimer dans sa voie rétronasale. Ces stimuli l'ont rempli de formes sensorielles inédites pendant que son visage camouflait la cruauté de sa gourmandise. Philippe aurait pu s'enivrer de davantage de souffrance. Il s'est alors découvert une parenté avec les violeurs en série et les assassins de sang-froid : il partageait, à un degré limité, mais authentique, l'extase du psychopathe. Lorsqu'il a rouvert les yeux, Philippe a cru remarquer que Simon écrasait une larme au coin de son œil droit. Il a dardé la langue pour en extraire le sel.

Aujourd'hui, Philippe sait qu'il ne torturera jamais afin de jouir. Même dans ses rêves de reptile carnivore, il ne s'est pas trouvé l'arrogance nietzschéenne d'un Raskolnikov. La simple pensée d'humilier autrui le rebute. Par contre, tomber sur un Simon meurtri ne lui aurait pas déplu ce matin. Son absence aurait même pu le titiller... Mais Simon est là, à sa table, à son poste, blême et piteux comme tous les doctorants du laboratoire, sans aucun vestige de rage ou de frustration sur son visage ou dans les effluves vagabonds de ses aisselles, absorbé dans la révision du prochain article scientifique pour lequel il sera sans doute privé de ses droits. À 7 h 55 précises, Simard entre comme un monarque dans son laboratoire. Philippe s'applique à cet instant à insérer des électrodes dans le cerveau d'un crotale sous sédation. Le professeur se plante devant lui et l'observe. D'une main sûre, Philippe enfonce une nouvelle électrode dans l'encéphale délicat du serpent, puis il sert un sourire confiant, qui se veut complice, à son directeur de thèse. Le *psychologue voyeur* l'abandonne vite, comme repoussé par sa bonne humeur, puis glisse derrière Simon, se penche sur son épaule et renifle. Le doctorant rougit, ses nerfs se tendent et ses muscles se bandent dans une fixité désolante d'oisillon traqué. Les yeux fermés, Simard le sent, le sait, déguste. Ses narines palpitent. Il lui pose une question, écarquille les yeux et sa langue point entre ses lèvres desséchées.

SOUPÇON MORBIDE

Ça fait longtemps déjà et c'est passé sous le radar, ou presque, un roman québécois singulier qui, en France, aurait eu quelque chose d'exotique, et qui dépayse les résidents. Le Québec de Mazzieri décourage les cartographes comme la Provence de Giono.

La quatrième de couverture parle de culpabilité, mes camarades lecteurs se rallient, c'est bien elle le ressort du roman, la chose. Je demande à voir et, bien que la culpabilité fabrique de la folie, je cherche à identifier quelque chose de plus sourd, de plus retors. Privée d'enquête puisque nous savons qui a tué l'idiot, j'ai les autres morts – je ne veux pas trop en dire – qui désignent le soupçon morbide.

L'excellence du roman tient à des stratégies narratives et à un art de parole : lexique, tournures et imprécision contrôlée, aux nuances d'une atmosphère désolante.

Le roman avance par blocs titrés, chapitres réunissant un ou plusieurs paragraphes dont la quantité crée un rythme, oblige un tempo de lecture, pulse des pics d'inquiétude. Ce texte produit de l'embarras, du malaise. Il progresse par feintes : des flash-back qui n'expliquent rien, ne chargent pas, intriguent comme un bourdon dans un manuscrit, agitent le lecteur qui cherche, saccadent une ligne diégétique déjà hachurée.

Ces gens-là sont bêtes et méchants, ce village est pourri comme ses voisins, mais il n'est pas maudit et les coups qu'il donne comme une bête blessée attaquent l'ennui élastique, infiniment élastique. La jeune fille morte dans le fossé, d'où vient-elle, qui a tué « Isabelle Desmarais », d'où vient ce nom que clame le maire comme un slogan dans une assemblée ? Le chien victime de Barabé, d'où vient-il ? Qui a mis le feu à la grange ? On ne sait pas. Pour l'idiot, on sait, mais tout le reste, soigneusement conté, anodin ou terrible est embarrassant, façon angoisse du connu qui dérape, *s'estrange*. L'angoisse vient du silence, un silence que garderaient les gens sous leur babillage, avec des postures, des mouvements, des jeux de regards conspirateurs et hypocrites. Ça fonctionne parce qu'on les adopte, parce qu'à des détails on les croit nos cousins, dégénérés, mais enfin... On les range dans Portneuf ou la Beauce, un sud-est insolite du Québec qui aurait au nord des rivières et des navires de pêche au saumon. Le titre donne une clé mais il n'y a pas de porte. Le village cancane, les femmes, les fermières, les villageoises et la guérisseuse malade à l'odeur de compost brûlé médisent, calomnient et chuchotent. D'avril à la rentrée, le soupçon gonfle après la tempête. Ne la jugeons pas prémonitoire : le soupçon et l'hypocrisie sont le tissu de ce pays, un grondement de secrets de familles et d'esseulés qui va s'atténuer pour s'enfler de nouveau. Une diversion à l'ennui, un divertissement funeste. Et les enfants, les enfants sont des adultes moins grands, qui inspirent la méfiance.

On assiste à la naissance de la légende de Paul Barabé, à la réunion d'ingrédients qui en créeront d'autres, recycleront les anciennes. Les enfants et les adultes sont sujets à légende et le roman bénéficie de cette aura que le dopage des faits, par ragots et craintes, fait subir au texte.

Il y a des animaux qui attendrissent ce récit, le font couiner, sonnent juste aussi. Le lapereau mort que ramasse Mathias (l'idiot), le cheval vieux et malade des nouveaux venus qui le soignent gentiment, le chien martyr et d'autres, pas même gentils les chiens, et jappards.

Le discours sur la tombe de l'idiot développe le soupçon qui joue avec l'ennui en l'inscrivant dans l'écriture même. Souvent le lecteur marque une pause pour s'assurer de l'identité du locuteur. Le doute profite aussi du flou des phrases laissées en plan. Ce procédé courant en mode oral n'a plus, versé dans l'écriture, rien de réaliste : il met de la magie noire dans le texte à la façon des écrivains latino-américains. L'enchaînement des phrases, parfois fermées bien qu'incomplètes, permet d'observer le désinvestissement de ceux qui parlent, qui laissent échapper du sens par fatigue, pour rien, par embarras.

La langue s'inscrit dans une convention du parler ouvrier québécois en région, sans exotisme. Le plaisir de lecture varie selon l'origine du lecteur : au Québec la fibre identitaire vibre tonique, fière, soulagée. Barabé paye avec un billet de vingt, il y a quelqu'un « d'étendu dans le fossé[1] » et l'ouvrier suggère au père :

> Si vous me laissez près de l'autoroute, après je m'arrangerai[2]

---

1. Julie MAZZIERI, *Le discours sur la tombe de l'idiot,* p. 58.
2. *Ibid.,* p. 196.

et on s'étonne si quelqu'un prononce un nom anglais comme... un nom anglais. Ce *on* que j'utilise rend compte de l'équipe que forment les malheureuses gens de Chester, le lecteur et le narrateur réunis par une respiration, une tempête. La narratrice est de notre côté. C'est une narratrice omnisciente qui sait les nuances de rêvasserie et de spéculation des personnages, qui garde sa tête alors que la folie enfle, progresse et gagne.

La folie a bon dos, c'est une façon de « comprendre », de considérer les méchancetés comme des symptômes. La maladie mentale frappe dans *Le discours sur la tombe de l'idiot,* mais le mal aussi. Gagnant. Pas un mal métaphysique, mais la méchanceté, la passion de dominer, d'être admiré, peut-être au fond le désir frustré d'être reconnu, écouté par un témoin digne d'allocution. À côté des fous en devenir, il y a une réponse à l'ennui par ce qui blesse, dans un univers de sensibilité rabougrie ou en friche, de pensée pauvre, vétilleuse. Le village résume et miniaturise la lassitude d'une culture que la tempête politique, médiatique, climatique, enfonce, énerve et excite comme un animal agressif. Peut-être n'est-ce qu'un village. Les diables de Tasmanie sont en Estrie, ou dans les Bois-Francs.

Julie Mazzieri, *Le discours sur la tombe de l'idiot*, Librairie José Corti, 2008, 245 p.

QUAND VOUS VIVREZ JE SERAI MORT

Simon Brousseau

> Reality is that which, when you stop
> believing in it, doesn't go away.
>
> PHILIP K. DICK
> *How to Build a Universe That
> Doesn't Fall Apart Two Days Later*

L'automne dernier, j'ai fait voir à mes étudiants de cégep la pièce de théâtre *Des arbres,* de Duncan Macmillan, où un couple se demande s'il est raisonnable d'avoir un enfant alors que notre monde est menacé par une catastrophe écologique sans précédent. J'avais hâte de connaître leur avis, et j'ai été surpris de constater qu'ils étaient, à l'unanimité, en désaccord avec le pessimisme de la pièce. Selon eux, tout finira par s'arranger, la science n'est jamais à court de ressources et ce n'est qu'une question de temps avant qu'on trouve la solution à nos problèmes. En les entendant répéter qu'il est exagéré de renoncer au *bonheur d'avoir un enfant* – ce sont leurs mots – sous prétexte que le monde sera peut-être bientôt inhospitalier, j'ai repensé au jeune homme anxieux que j'étais lorsque j'étudiais en lettres au cégep Limoilou, en 2002. J'étais déjà irrémédiablement pessimiste et je m'en faisais même une fierté, ne cachant pas mon mépris pour les gens plus aptes que moi au bonheur. À mes yeux, ils étaient superficiels, égoïstes, d'une légèreté criminelle. Je ne suis plus aussi certain que ce soit une mauvaise chose d'être capable d'espoir, alors j'ai résisté à la tentation de critiquer trop fermement la position de mes étudiants, même si elle tient à mon avis de la pensée magique. En même temps, j'espère me tromper. Je suis toujours pessimiste, mais je reconnais qu'il serait préférable que l'avenir me donne tort. En fait, je crois que le pessimisme trahit presque toujours un désir de voir le monde échapper à la catastrophe. Le pessimisme, c'est l'espoir qui se sait mis en péril par des forces plus grandes que lui. À l'hiver 2017, alors que j'étais sans emploi, j'ai jeté les bases d'un récit d'anticipation dans lequel je tente d'imaginer un futur proche où la crise perdure depuis assez longtemps pour qu'elle ait été intégrée au quotidien des personnages comme une situation normale. J'ai du mal à expliquer pourquoi la littérature d'anticipation m'intéresse à ce point, depuis quelques années, mais je sais à tout le moins que je n'écris pas ce texte pour éveiller les consciences. Je ne pense pas qu'une dystopie de plus puisse beaucoup pour freiner le cours de l'histoire. Non, si je sonde mes motivations, je dois admettre que c'est le désespoir qui me pousse à décrire le monde brisé qui m'apparaît quand je pense au futur. On m'a dit plusieurs fois que je me complais dans la négativité, que le monde n'est pas aussi noir que mes inclinations me poussent à le croire. Mon désenchantement me coupe des autres d'une manière qui m'est souvent douloureuse, même si je sais que je ne suis pas seul dans cette situation. Nous sommes nombreux, mais je ne crois pas que notre état de déréliction commun puisse véritablement nous lier. Il faudrait autre chose.

J'en suis à souhaiter que ma vision soit celle d'un esprit malade, paranoïaque, fondamentalement incapable de croire en l'humanité. « Dans ton combat contre le monde, seconde le monde », a écrit Kafka. Je crois saisir la portée de ce conseil ambigu quand je réfléchis à ma vision du futur. Il est possible de croire fermement en quelque chose tout en espérant être dans l'erreur. Parce que j'ai peu d'espoir, et plus encore parce que je me sens coupable de ne pas en avoir davantage, je ressens l'urgence d'écrire à propos de l'avenir, ce qui est une façon pour moi de poursuivre le débat que j'entretiens mentalement avec la pensée positive depuis des années. Il m'est difficile d'expliquer à quel point je me sens coincé, à quel point j'aimerais trouver une issue pour sortir du cul-de-sac de ma pensée. Parfois, je suis donc tenté de croire, parce que ça m'arrange, qu'il existe un versant positif à mon pessimisme : en allant jusqu'au bout de mes appréhensions, j'exprime mon souci, mon envie de voir le monde me donner tort. Qu'il triomphe de ma négativité, qu'il la rende sans objet, voilà au fond ce que je souhaite. En attendant, il me faut continuer à envisager le pire, être le rabat-joie de ceux qui n'ont pas envie d'être inquiets.

*   *   *

C'est une nouvelle de Philip K. Dick qui m'a fait prendre conscience de ce qui m'intéresse dans la littérature d'anticipation. « Foster, You're Dead », un texte de 1955, met en scène une Amérique plongée dans la guerre froide, en 1971. Dans ce futur imaginaire, tous les citoyens ou presque possèdent un abri nucléaire. De nouveaux modèles paraissent régulièrement sur le marché pour répondre aux avancées des Russes, qui inventent des bombes toujours plus puissantes. Le père de Mike Foster résiste à cette surenchère, puisqu'il y voit un complot du complexe militaro-industriel. Il refuse d'acheter un abri, car *ils* – ce fameux *ils* insaisissable du pouvoir – cherchent à s'enrichir en nourrissant la peur des gens. C'est un scénario à glacer le sang : « Si tu n'achètes pas, *ils* vont te tuer. » Alors que tous ses camarades de classe possèdent des bunkers où se réfugier, Mike vit dans la crainte de mourir avec les membres de sa famille si une attaque survient. Après l'école, il a l'habitude d'aller au magasin pour supplier le vendeur de le laisser se glisser juste un instant à l'intérieur d'un abri. Quand ce dernier essaie de le réconforter en disant que la guerre n'aura peut-être pas lieu, Mike lui répond : « Personne n'est en sécurité à la surface. Il faut être sous terre, et je n'ai nulle part où aller. »

Chez Philip K. Dick, l'anticipation est inséparable d'un souci de comprendre l'humain. S'il a choisi de parler du futur, ce n'était pas par fétichisme technologique ou parce qu'il était obsédé par les petits hommes verts venus de l'espace. Le futur lui permettait de déployer les grandes ailes de son esprit inquiet. Le lire nous rappelle que le futur est le temps de l'inquiétude : comment vivrons-nous quand l'humain sera indiscernable des androïdes qu'il a créés ? Et quand la colonisation de Mars sera menée par de puissantes multinationales ? Et quand notre compréhension du cerveau permettra de contrôler nos humeurs comme on règle la température d'une pièce ? Le futur est son temps de prédilection, parce que c'est le temps indécidable, un territoire idéal pour l'élaboration de fictions paranoïaques. Mike ne sait pas si les bombes viendront. Il ne sait pas si sa peur est justifiée ou si elle est nourrie par la propagande. Dick sentait que la texture du futur était appelée à changer. Le futur radieux fantasmé par l'Amérique de l'après-guerre ne se réaliserait pas. Ce que l'on considérait encore comme une utopie était en fait une dystopie masquée ; soumis au passage du temps, nos désirs se transforment le plus souvent en catastrophe. Son travail était de guetter le passage de l'un à l'autre.

*   *   *

Il y a quelques années, j'ai lu *Je suis vivant et vous êtes morts,* la biographie de Philip K. Dick signée par Emmanuel Carrère, après la recommandation d'Amélie Paquet, une des plus grandes lectrices que je connaisse. Ma curiosité avait déjà été piquée par un passage dans *Le Royaume* où Carrère décrit Philip K. Dick comme l'héritier de Dostoïevski, dans la mesure où son œuvre s'inscrit elle aussi dans une recherche de transcendance. J'aime les romans de Dosto, et c'est peut-être lui le premier qui m'a montré, avec *Crime et châtiment,* comment la forme du roman populaire est propice à l'exploration des questions existentielles auxquelles j'ai envie de me frotter quand j'ouvre un livre. D'ailleurs, *Le rêve d'un homme ridicule* montre bien qu'il n'était pas insensible aux potentialités de la science-fiction. Tout ça pour dire qu'avant de me plonger dans la biographie de Dick, je n'avais lu aucun de ses livres. J'avais pourtant été charmé par l'adaptation de *A Scanner Darkly,* réalisée par Richard Linklater, mais cela n'avait pas été suffisant pour vaincre mon snobisme. J'avais une certaine méfiance envers Dick, que je considérais comme un hippie délirant, un auteur à la mode pour des raisons pas toujours littéraires, un peu comme Charles

Bukowski. Aujourd'hui, j'ai honte d'avoir ignoré ce grand écrivain à cause du genre qu'il pratiquait, et je crois que c'est en partie ce qui m'incite à marcher dans ses pas. Grâce à Carrère, un écrivain qui, lui, me semblait respectable, j'ai appris à lire Dick comme un penseur habité par des questions ontologiques : qu'est-ce que l'humain ? Qu'est-ce qui différencie l'humain de la machine ? Qu'est-ce que la réalité, et comment peut-on s'en saisir ?

Les fictions de Dick s'inscrivent dans une histoire du doute souvent méprisée, considérée comme du pelletage de nuages. Là où les choses deviennent pourtant intéressantes, c'est qu'il a eu l'intuition qu'on entrait dans une ère de simulacres et de découvertes scientifiques qui ébranleraient la réalité. Ce qui relevait auparavant de la rêverie est devenu très concret. La création de mondes virtuels, l'utopie cybernétique, la conquête de l'espace, mais aussi une compréhension nouvelle de la biochimie du cerveau ont incité Dick à croire que la vie était bel et bien un songe, ce qui a donné à ses réflexions un tour tragique ; comment fait-on pour vivre avec le soupçon que la vie nous est inaccessible ? Et comment sait-on si on vit *pour vrai,* au moment où ça arrive ?

* * *

De 2010 à 2014, j'ai écrit une thèse sur l'œuvre de David Foster Wallace, et j'ai mis le point final à ma réflexion sans aborder une seule fois la question de l'anticipation. Ça m'est aujourd'hui incompréhensible, puisque son *opus magnum, Infinite Jest,* met en scène un futur proche de l'auteur, qui correspond aujourd'hui à notre passé, le cœur de ce roman publié en 1996 se déroulant entre 2008 et 2009. J'ai lu *Infinite Jest* sans même penser à l'anticipation, aveuglé par l'angle de recherche que je m'étais donné. Je m'intéressais à la possibilité qu'offre la littérature de se mettre à la place des autres, et je n'ai pas su voir que ces *autres* qui occupaient Wallace étaient plongés dans un futur alarmant. L'éthique du souci que j'ai perçue dans ses textes était tournée vers les individus, mais elle regardait aussi avec appréhension vers le futur. Dans ce futur, le président des États-Unis est Johnny Gentle, un ancien *crooner* germophobe qui gère son pays comme une business et qui a fait d'une grande partie du Maine un vaste dépotoir où il envoie les déchets de la nation à coups de catapultes géantes. Aujourd'hui, Johnny Gentle évoque immanquablement Donald Trump, dont l'élection le 8 novembre 2016 a d'ailleurs révélé à quel point nos capacités d'anticipation – notre aptitude à l'inquiétude – sont limitées. En percevant enfin cet angle mort de ma réflexion, je réalise que l'anticipation n'est pas tant un genre qu'une modalité d'appréhension du monde. Il y a mille raisons de craindre le futur, et chaque époque avance chargée de rêves et de scénarios catastrophes. Je me trompe peut-être, mais j'ai l'impression en lisant mes contemporain·e·s que nous vivons un moment de grande proximité avec les menaces du futur. Le texte de Wallace n'est pas une dystopie ancrée dans un avenir distant, comme l'était par exemple le *Brave New World* de Huxley, écrit en 1932 et situé en 2540. Quelques années à peine séparent l'auteur du monde dans lequel il se projette. C'est aussi ce qui se passe dans la trilogie de Margaret Atwood, *MaddAddam* (2003/2013). Le futur n'est peut-être pas toujours à la même distance du présent. Je ne raconte pas ça pour faire mon petit théoricien du temps. Simplement, je crois de manière très pragmatique que le futur peut être alarmant au point de meubler complètement le présent. C'est la *présence du futur* dont parle saint Augustin, qu'il décrit comme le temps de l'attente. Quand le futur se présente à mon esprit, il obstrue complètement le présent; je deviens un être tendu vers ce qui n'est pas encore. Et quand j'envisage la possibilité qu'il n'y ait bientôt plus de futur, un constat s'impose: je vis dans une bulle solipsiste, coincé dans un présent sans destination.

*
 * *

Les scénarios catastrophes ne sont plus seulement le fruit de l'imagination maladive de quelques écrivains. Les scientifiques les plus sérieux s'évertuent maintenant à imaginer de quoi le futur aura l'air. Il existe des modèles pour prédire les effets des changements climatiques, certains plus démoralisants que d'autres. On sait en tout cas que d'ici 2100, c'est entre deux cent millions et un milliard de réfugiés climatiques qui devront migrer vers des régions moins arides. Cette donnée brute, impossible à embrasser avec le pouvoir d'imagination limité d'un seul cerveau, a de quoi mettre la machine à fiction en marche. Qu'est-ce que ça va donner, quand on sait que quelques milliers de demandeurs d'asile suffisent à désinhiber le vieux fond d'extrême droite qui dormait un peu partout en Amérique et en Europe? Dans les années 1950, les écrivains se sont emparés du pouvoir de fascination de la bombe atomique et ont donné corps aux inquiétudes de leur époque. Avec les changements climatiques, la situation n'est pas tout à fait la même; la menace qui plane sur la planète n'est plus uniquement la folie sanguinaire de quelques dirigeants prêts à appuyer sur le bouton rouge, bien qu'elle l'accompagne. Au contraire, en ce qui concerne le climat, le bouton est déjà enfoncé et les conséquences s'en viennent. Avec lenteur, certes, mais une lenteur qui nous laisse tout le temps d'angoisser et de nous perdre en conjectures. Je remarque aussi que les scientifiques qui osent les prédictions les plus pessimistes se font souvent ignorer. On préfère les scénarios les moins dramatiques. Presque tout le monde s'entend aujourd'hui pour dire que la cible qui a été fixée lors de l'accord de Paris, deux degrés Celsius de réchauffement par rapport à l'ère préindustrielle, est déjà hors de portée. Il s'agit d'une fiction rassurante, ou d'un vœu pieux. Ça me fait penser à Nietzsche, qui disait qu'on préfère les idées capables de maintenir notre équilibre – notre santé précaire – à la vérité. Un des buts que je poursuis en écrivant mon texte d'anticipation est d'ébranler les représentations officielles du futur, trop rassurantes, trop pacifiées pour être dignes de confiance. Ce qui me ramène à ma peur (qui est aussi un désir) d'avoir raison : ma version du futur a des chances d'être juste, me dis-je en écrivant, parce qu'elle n'a rien pour assurer la stabilité d'un esprit anxieux.

*
* *

Quand j'ai dit à mon éditrice que je voulais écrire un roman d'anticipation mettant en scène des gens ordinaires, elle s'est levée pour aller chercher un livre : *The Chrysalids,* de John Wyndham (1955). Son intuition était juste : c'est le livre qu'il me fallait pour avancer dans ma réflexion. Dans ce roman, les survivants d'une catastrophe atomique ont développé un culte de la pureté et bannissent ou condamnent à mort tous ceux et celles qui ont subi des mutations apparentes. Dans ma scène préférée, un jeune garçon s'éloigne de chez lui et aperçoit une petite fille qui joue dans l'eau. Lorsqu'il s'approche, elle s'effarouche, mais il a le temps de voir qu'elle a six orteils à un pied. Il se lie tout de suite d'amitié avec elle, ignorant l'interdit. On lui a appris à considérer les mutants comme des monstres, mais celle qu'il rencontre est une enfant comme lui, et il sait reconnaître son humanité malgré l'orteil en trop. Wyndham nous rappelle que tous les humains ne sont pas toujours considérés comme tels et que ce qu'on entend par humain change tout le temps. Ces enfants me ramènent aux inquiétudes de Mike Foster et me font réaliser que la littérature d'anticipation se préoccupe souvent des héritiers, de ceux qui devront vivre après nous. Ces textes nous invitent à situer nos gestes dans une éthique du futur. L'humanité emploie des ressources technologiques si puissantes qu'elle a le pouvoir d'empêcher le futur d'advenir. Mike Foster inviterait sans doute ces deux enfants dans son bunker, s'il en avait un. Je les imagine adossés contre une étagère pleine de boîtes de conserve, en train de lire un livre qui leur révélerait, entre les lignes, l'impuissance de ceux qui, dans le passé, se souciaient de leur sort. Un livre qui ressemblerait à celui que j'essaie d'écrire.

* * *

Je suis un grand fan de la trilogie *MaddAddam* de Margaret Atwood. J'aime sa lucidité, sa capacité à imaginer le pire. *MaddAddam* raconte comment Glenn, un jeune homme surdoué, devient un savant fou qui décide de régler une fois pour toutes les problèmes de l'humanité en créant en laboratoire une variante d'*Homo sapiens* purgée de tous les défauts qui font de l'humain un animal si stupide et destructeur. En plus de créer cet humain 2.0, Glenn développe un médicament miracle, le *BlyssPluss,* supposé rendre tous ceux qui le consomment parfaitement heureux et en santé. Il s'agit en fait d'un virus destiné à faire disparaître la race humaine. Au début de la trilogie, la pandémie a déjà eu lieu et la grande majorité des humains sont morts. Jimmy, l'ami d'enfance de Glenn, est seul dans un paysage apocalyptique. Un peu plus loin, quelques Crakers, les représentants de l'humanité rêvée par notre savant fou, broutent paisiblement de l'herbe. Tout a été pensé dans les moindres détails ; leur ADN a été programmé pour qu'ils demeurent pacifiques et leurs organes génitaux deviennent bleus lorsqu'ils ont envie de se reproduire, évitant ainsi la violence et les malentendus typiques des rapports humains. J'aime ce roman d'Atwood parce qu'il me raconte un futur possible. Je suis capable de m'y projeter. Tout en moi devrait refuser d'y croire, mais je n'ai pas le choix d'admettre que son expérience de pensée est rigoureusement concevable.

* * *

J'écris ces lignes fin septembre 2017. C'est la saison des ouragans : Harvey a causé des inondations catastrophiques à Houston, Irma a tout détruit sur son chemin dans les Caraïbes, Maria vient de passer de tempête de catégorie 1 à 5 en une seule journée et fonce tout droit vers les États-Unis. Pendant ce temps, à Montréal, les températures sont dix degrés au-dessus des normales saisonnières depuis près de deux semaines. Je n'ai jamais vu de mois de septembre si chaud, ni mes parents, ni même mes deux grands-mères, qui me rappellent souvent comme les temps changent. Les Belles-Dames, des papillons qui évoquent les monarques avec leurs ailes orangées, sont en arrêt forcé à Montréal parce que les vents ne sont pas favorables à leur migration vers le Mexique. Elles flânent au parc Jarry, tourbillonnent autour de moi tandis que je fais mon jogging. Normalement, elles passent dans le ciel à une centaine de mètres d'altitude, alors on ne les voit pas. Elles sont aussi jolies que leur nom le laisse croire, mais elles ne devraient pas être là. Leur présence est un mauvais présage qui assombrit mon rituel de course, ce moment où je parviens à laisser mes inquiétudes derrière moi. Je rumine tout en courant, je pense au futur et je m'étonne de ma capacité à imaginer des fins heureuses à ma vie, alors que tout le reste me semble par ailleurs condamné au pire. Il est difficile d'admettre un futur sans issue, une vitre contre laquelle se rompre la nuque. Lors d'une de ces courses, j'ai une pensée soudaine pour Nabokov, qui était passionné par les papillons et qui en dessinait parfois même des espèces imaginaires, comme le *Vanessa incognita* dédié à Véra, sa femme. Je me suis rappelé une phrase qui se trouve dans son roman *Pnin* (1957), où le narrateur affirme qu'il déteste les dénouements heureux parce qu'ils sont mensonger : « Harm is the norm. Doom should not jam. » Je me suis dit que Nabokov aurait peut-être été inspiré par le surgissement des Belles-Dames au parc Jarry et plus tard, en rentrant chez moi, j'ai consigné mes impressions pour ne pas oublier l'anomalie dont j'ai été témoin, en me disant que ça pourrait me servir pour mon récit, que c'était l'image parfaite d'un monde à l'agonie qui offre ses derniers soubresauts de beauté. Quelques jours plus tard, un tremblement de terre a eu lieu à Mexico et plus de trois cents personnes sont mortes, ce qui n'avait rien à voir avec les Belles-Dames, mais qui a tout de même ajouté au tragique de ces jours accablants, ce mois de septembre fait de catastrophes et qui aura peut-être été quelque chose comme un avant-goût des mois de septembre à venir.

LETTRE À CHRISTIANE FRENETTE

Valérie Forgues

> *comme si au milieu de la page le corps se*
> *décentrait laissant aux mots l'espace ouvert*
> *la suite se fera sans bruit la mémoire résistera*
> *jusqu'à la fin nous serons ensemble la ville te*
> *brûle j'ai la passion des forêts je te dis de*
> *vivre*
>
> CHRISTIANE FRENETTE
> *Cérémonie mémoire*

Au début de mes études universitaires en création littéraire, deux professeurs, en atelier de poésie, en écriture de fiction, m'ont dit : « Lis Christiane Frenette. » Pas un ordre, mais tout comme. D'*Indigo nuit* à *Territoires occupés,* j'ai tout lu. Consacré une partie de mon mémoire de maîtrise à *Après la nuit rouge.* J'ai aimé chaque livre. Tenté d'apprendre, en vous lisant, la construction d'un poème, d'un roman ; comment raconter le noir, la souffrance, le désir aussi. J'ai voulu vous écrire par affection, comme on le ferait pour une précieuse amie dont on n'a pas reçu de nouvelles depuis longtemps. Une lettre au ton solennel, pareille à celles qu'on trouve dans les livres des sœurs Brontë, de Mary Shelley ou de Jane Austen. Elle aurait commencé par: *Ma toute chère, il y a bien longtemps que je vous ai lue. Que devenez-vous, loin de la sphère littéraire? Loin des salles de classes, loin de vos lecteurs?*

J'écris «loin de la sphère littéraire» et je réalise que je ne sais pas de quoi je parle. Peut-être écrivez-vous tous les jours à l'aube, des poèmes, des carnets qui parlent de notre époque, de la nature que vous aimez tant, des enfants, des gens qui ont mal, de cette vie dont vous avez si bien dessiné les contours, les zones assiégées comme les plus claires. Que vous écrivez sur l'âge et le temps qui passe. Que les textes s'empilent, se peaufinent, que les mots déferlent en vous, pour vous uniquement, sans que vous sentiez le besoin de les faire lire aux autres. Peut-être pas non plus. Peut-être que ce silence vous est lourd et diffi-cile. Que malgré tout, il n'y a rien à faire qu'attendre que la machine se remette en marche. J'ai besoin de croire qu'elle se remet toujours en marche. Enfin, peut-être qu'écrire ne vous manque pas du tout, que la vie sans les mots vous est douce, plus calme, et que c'est parfait ainsi. De mon côté, j'ai l'impression que je ne pourrais m'y résigner.

Par périodes, je me replonge dans vos livres, me fais ma propre *cérémonie mémoire*. Au cœur de votre œuvre, tissé de poésies d'abord, puis de fictions, il y a le mouvement de grandes vagues ou des étincelles au milieu de la nuit. C'est quelque chose qui m'a tout de suite saisie, comme lectrice, qui m'a donné du jus pour avancer en tant qu'auteure; quelque chose qui émeut et bouleverse. J'y vois le chan-gement subtil dans la forme de vos textes. La voix de la poète qui se meut presque imperceptiblement en une voix de romancière. La poésie n'a jamais été loin, ni la force, ni la vulnérabilité, l'espoir et son contraire, l'amour aussi, et tout ça me rentre dedans, chaque fois.

> *tu te réveilles un matin avec l'envie*
> *de risquer ta vie entière*
> *pour un seul poème*
> Les fatigues du dimanche

Je me suis reconnue dans votre démarche au point de la faire mienne : mettre en lumière ce que vous avez si justement nommé « le difficile combat de la vie contre le désespoir ». Souvent confrontée, écartée entre la nécessité de l'écriture et celle du silence, j'ai appris dans vos livres que les deux étaient possibles. Que l'on peut faire de la fiction, de la poésie avec la rage, avec le feu et la douleur, avec la noirceur, mais aussi avec les temps d'arrêt.

Vous avez écrit le monde sans compromis. La violence intérieure, l'amour tout croche, l'amour tout court, l'envie de mourir et le courage de vivre se croisent d'un livre à l'autre. Dans le dernier, vous écriviez « Ma mémoire renonce aux larmes. L'écran s'éteint. Et l'océan d'un coup se retire. Je raconterai dans mes livres ce que je vois chaque soir à 22 heures. » Vous faisiez référence aux horreurs qui défilaient au téléjournal de fin de soirée. C'était en 2007. Après neuf livres à la voix singulière, entre votre carrière en enseignement, les prix littéraires, les rencontres, les entrevues, tout d'un coup, silence radio, à de brèves exceptions près.

Est-ce que tout est devenu si sombre sur l'écran que vous en avez perdu la voix, le souffle ? Avez-vous choisi de vous taire ou le silence s'est-il simplement imposé ? Quoi qu'il en soit, ce silence me touche de manière particulière.

L'hiver dernier est paru un roman sur lequel je travaillais depuis longtemps. En tenant le livre dans mes mains, j'ai eu le sentiment d'avoir bouclé quelque chose qui me permettrait de poursuivre ma démarche plus en profondeur, de faire un pas en avant. Puis, une forme de vide s'est installé ; un creux dans le ventre, littéralement. Dans le cœur, dans la tête aussi. Le livre hors de moi, j'étais libre de tout. De prendre du temps pour laisser décanter cette histoire, lire, lire, lire des romans et des poèmes tant que je le voulais, de nourrir la bête à nouveau, de laisser émerger en moi un nouveau livre. Le désir d'un nouveau livre. Mais le silence s'est pointé, comme du givre sur l'herbe au début, puis bientôt comme une épaisse croûte de glace. Ce n'était pas lié à l'état du monde, mais à un état intérieur. Ce que j'ai à écrire est toujours là, la soif persiste, mais tout est gelé. Et ça m'effraie, Christiane. Ça me pétrifie, dans la mesure où je me perçois d'abord comme quelqu'un qui écrit. Je me construis à travers l'écriture, fabrique ma vision du monde avec elle. J'ai confiance en sa force.

Est-ce qu'on se réveille un matin pour réaliser qu'on n'a pas écrit depuis deux ans, cinq ans et que ça ne nous manque pas ? Vous avez déjà dit que publier était un strip-tease. Peut-être en avez-vous eu assez de vous mettre à nu, avez-vous eu envie de vous protéger ? Vous avez cherché la chaleur, la douceur, la beauté dans le silence ?

J'ose imaginer que vous écrivez toujours, mais je n'en sais rien. Ce que je connais du silence littéraire, c'est que chaque fois qu'il se présente à moi, il m'effraie et me cloue sur place, si bien qu'au lieu de le laisser être, je prends mon ordinateur ou un carnet et j'en noircis les lignes. Pour le geste, pour ne pas être silencieuse, pour me faire croire que j'écris, même si, de façon paradoxale, je crois qu'écrire, c'est beaucoup observer, écouter ce qui tourne autour de nous, ce qui se joue, se roule et se déroule sous nos yeux. De quoi est faite la littérature, sinon d'un regard aigu? Et si c'est le silence qui se donne à voir, pourquoi souvent me fait-il si peur? Ne plus savoir quoi écrire, à qui l'écrire. Ne plus avoir de projet, ne plus avoir de lecteurs. La foutue page blanche ou, pire, la page pleine d'insignifiance.

Où êtes-vous, Christiane, et qu'écrivez-vous, douce-ment, dans votre tête, quand vous jardinez, quand vous cuisinez, quand vous marchez ou lisez? Est-ce que le doute et l'ennui se sont saisis de vous? Et si vous vous étiez dit, au fil des jours sans écriture : à quoi bon? Pour qui, pour-quoi? Pourquoi ne pas faire pousser des carottes ou des tomates à la place. En même temps, comment renoncer à l'ébranlement que l'écriture est capable de provoquer, à la tension, à la mise en danger, au beau risque qu'elle peut être?

debout attendre une heure encore que s'ouvrent enfin les
portes bleues du silence
Indigo nuit

Parfois, j'envie et j'appelle moi aussi ce silence. Comme si, de toute façon, je n'avais jamais vraiment su écrire. Je meurs pour un espace vaste dans la tête où tout réinven-ter, lentement. J'invoque la terre ferme pour me connec-ter au réel par une langue sauvage, une langue vraie qui se fout des âges, des modes, des conventions. Je rêve de cette île où renaître, où ne subsiste que le mot, qu'une page où plonger, où s'écrire. Je jalouse ce calme que je voudrais à la place du cerveau pressé, coincé, vidé, brisé. Parfois, j'aimerais accueillir mon propre mutisme, plutôt que de le craindre. J'aimerais baisser les yeux et regarder par terre, plutôt que tout autour, plutôt que tout partout, revenir aux livres qui m'ont portée. Comprenez-moi bien. J'aime et respecte profondément l'écriture. Pourtant, je me demande parfois si tout ça est nécessaire, si ce n'est pas une affaire de nombril, de visage dans la lumière, de théâtre. Écrire est un geste intime et privé, qui doit, il me semble, surgir d'une nécessité.

ton silence dans les veines à chercher les issues
Indigo nuit

J'ai eu envie de m'adresser à celle qui a cherché à tracer une ligne mince entre espoir et désespoir. C'est ce qui est écrit sous votre photo dans *La terre ferme.* Une notice biographique toute courte, mais qui dit énormément. Parce qu'entre espoir et désespoir, il y a tout, des vagues et de l'écume, de la boue, du vent qui fait flotter les cœurs et les corps. Entre ces deux mots, il y a des vies entières, à creuser. Des vies à vivre et à écrire.

J'ai voulu vous écrire comme à une chère amie, mais la vérité, c'est que nous ne nous connaissons pas. Nous nous sommes croisées à deux reprises, sans vraiment nouer contact. Vous écrire, comme un geste de reconnaissance, parce que vos livres m'ont ouvert la voie, la voix et les yeux. En poésie et en fiction, j'ai trouvé dans vos textes quelque chose auquel j'ai eu envie de faire écho.

J'ai hésité, pourtant. Je ne voudrais pas brusquer la femme ni m'imposer dans l'espace où se tient l'écrivaine depuis la parution de *Territoires occupés,* en 2007. J'ai imaginé ma lettre, je l'ai voulue comme une connivence, une déclaration d'admiration, un signe de respect.

les mots retournent dans l'écrin se cassent de partout
la prochaine fois je me ferai belle mes talons hauts mes
poèmes autour du cou
tu pourras revenir j'aurai le geste tranquille de celle qui
attendait

Cérémonie mémoire

À l'heure de vous écrire, je regarde un moment par la fenêtre, laisse mon esprit flotter, longtemps, vaguement. Pas le goût de discipline, de concentration. Je flâne, comme s'il n'y avait pas d'heure, pas d'horaire. Mes yeux se sauvent dans le ciel, se perdent dans le soleil, partent à la dérive. Je pense à vous souvent. Je pense à ce silence littéraire dans lequel vous vous êtes installée. Je vous imagine partie par la fenêtre, sans cadre, sans contrainte ni restriction. Une femme entièrement libre. Pourtant, votre voix me manque. Dans l'espoir d'un nouveau roman, de nouveaux poèmes, je garde vos livres près de moi, je vous relis.

auteurs

Anick Arsenault travaille à la bibliothèque du cégep de Matane et a publié cinq recueils de poésie. Elle adore collaborer avec des artistes d'horizons divers: dernièrement, elle a signé les textes de deux expositions en collaboration avec des photographes (*eXpace vide* et *Temps de lecture*) et celui d'un vidéopoème finaliste aux Rendez-vous vidéo poésie 2017 (*La beauté marche*).

Simon Brousseau est né en 1985 et a grandi à Québec. Il a défendu en 2014 une thèse sur l'œuvre de David Foster Wallace et la question de l'influence littéraire, et il enseigne maintenant la littérature au collège Jean-de-Brébeuf. Son premier livre, *Synapses*, paru au Cheval d'août en 2016, a été finaliste au Grand Prix du livre de Montréal et lui a valu un prix de l'Académie de la vie littéraire. *Les fins heureuses*, son deuxième livre, paraît au printemps 2018.

Christine Daffe est née en 1958 en Belgique et est arrivée au Québec à bord d'un paquebot à l'âge de six ans. Obligée par ses parents de fréquenter l'école anglaise, elle a été une mauvaise élève. De 1984 à 1995, elle a publié quelques textes et un petit livre, *Le Contenant*. Vingt ans plus tard, elle a contribué au numéro 146 de la revue *Mœbius* avec un texte intitulé « Chuchoter ». Elle est l'auteure d'un roman, *Les gammes*, paru chez l'éditeur À l'étage en octobre 2017. Son deuxième roman est en cours d'écriture..

Valérie Forgues vit à Québec. Elle écrit de la fiction et de la poésie. Formée à l'Université Laval en création littéraire, théâtre et littérature, détentrice d'une maîtrise en études littéraires, elle partage son temps entre l'écriture et son travail dans une bibliothèque. Son dernier livre, le roman *Janvier tous les jours*, est paru chez Hamac en 2017.

Roseline Lambert est née à Montréal en 1978. Elle a publié *Clinique* chez Poètes de brousse en 2016. Elle prépare présentement une thèse de recherche-création en anthropologie et en poésie à l'Université Concordia. Elle est récipiendaire du prix Félix-Antoine-Savard de poésie 2017.

Marianne Lorthiois est née à Paris et vit au Québec depuis bientôt dix ans. Travailleuse autonome, voyageuse, elle explore autant que possible de nouvelles cultures et sphères professionnelles – de la production de concerts au développement d'une webapp, en passant par la recherche universitaire. Elle s'inspire de cette variété d'expériences et de la richesse de l'écriture francophone pour sa poésie. Elle contribue au zine montréalais bilingue *Phäses* et signe ici sa première publication dans une revue de diffusion internationale.

Sándor Olivér Murányi (Odorheiu Secuiesc, Roumanie) est un écrivain de culture et de langue hongroises, ancien novice franciscain, champion national de karaté et de danse folklorique, repasseur, chargé de cours à l'université et aide-cuisinier chez Ikea. Il fait la navette entre les ours de Roumanie et les silures glanes de Hongrie. Livres publiés : *Vide et plein – Essai de combat* (2007), *On l'a poussé à être saint* (2007), *Zordok, le samouraï szekler* (2012), *À l'affût des ours* (2017).

Frédéric Parrot est né à Québec en 1980. Il y habite toujours et enseigne la chimie au cégep de Sainte-Foy. Depuis 2011, il a publié cinq romans (*Les rois conteurs*, *Es-tu prêt à mourir pour moi ?*, *Es-tu prêt à trahir pour moi ?*, *Es-tu prêt à flamber pour moi ?*, *Es-tu prêt à tuer pour moi ?*) et des nouvelles dans les revues *Mœbius*, *Virages* et *Solaris*.

Sarah-Louise Pelletier-Morin est candidate à la maîtrise en études littéraires à l'Université du Québec à Montréal. Son mémoire étudie les formes du sacré dans l'œuvre poétique de Benoit Jutras.

Diane-Ischa Ross est quinziémiste, essayiste littéraire, poète, surtout poète, portée sur le journal intime d'écrivains. Des revues d'ici et d'ailleurs et les éditions Triptyque ont publié sa poésie. Elle a participé à des lectures à la radio et au FIL, à des colloques, a collaboré à des œuvres musicales. Elle vit à Longueuil son histoire de grande enfant lettrée, éperdue d'aimance, polie, gavroche, fantasque et timide. Elle a reçu le prix Rina-Lasnier en 2005.

Jason Roy est un nouvelliste et romancier qui affectionne les textes curieux, puissants et mobilisateurs. Habitué des revues littéraires, notamment universitaires, il publie aussi ses créations en recueils dont le dernier, *Nos regards traîtres*, s'est vu décerner le prix littéraire Le Passeur. Littéraire assidu, il détient un certificat en création littéraire, un baccalauréat en études littéraires (tous deux de l'Université du Québec à Montréal) et une maîtrise en études françaises de l'Université de Sherbrooke.

Kaliane Ung est doctorante en littérature française à New York University. Elle écrit sa thèse sur les œuvres de Joë Bousquet, Hervé Guibert, Violette Leduc et Simone Weil. Elle a étudié la littérature comparée à l'université d'Édimbourg (2008) et la philosophie à l'Université Paris 1 Panthéon-Sorbonne (2013). Elle a également étudié l'art dramatique avec Anouk Grinberg et a travaillé en tant qu'actrice et mannequin à Paris. Elle a publié des textes dans les *Cahiers littéraires Contre-jour*.

Tanya Vaillancourt est née à Longueuil et vit à Montréal. Elle écrit en secret et aime l'horticulture. Elle réussira un jour à quitter la ville et à combiner ses champs d'intérêt, même si elle voit encore mal comment.

Antoine Villard commence à écrire peu après avoir appris à lire, autour de six ans, et d'abord sans douleur. L'écriture, à quatorze ans, d'un roman prématuré est un premier traumatisme. Le deuxième sera constitué par la participation au jury d'un concours de poésie à l'âge de dix-sept ans. Entre à l'École normale en 2008 sur un premier concours, puis, sur un second, dans le corps des agrégés en 2013. Démissionne en 2017. Va beaucoup mieux. Comédien.

prochains numéros

Appels de textes : revuemoebius.com/appels-de-textes/

Soumettre un texte

La longueur des textes en prose ne doit pas dépasser 3 000 mots.
La longueur des textes en vers ne doit pas dépasser 7 pages.
Les textes doivent être soumis en format .doc, par courriel, à
revuemoebius@gmail.com. Ils doivent être accompagnés des
coordonnées complètes de l'auteur et de la mention du numéro pour
lequel ils sont proposés.
Les textes doivent être inédits. Nous n'acceptons qu'une soumission
par auteur pour un même numéro et nous publions un maximum de
deux textes d'un même auteur par année.
La rédaction ne communique qu'avec les auteurs dont le texte a été
retenu. Nous n'acceptons que les textes soumis par courriel, il n'y a
donc pas de remise des manuscrits. Veuillez noter qu'à l'issue du travail
d'édition, la rédaction assure une révision linguistique des textes : ils
pourraient par conséquent être légèrement différents dans leur version
publiée.

abonnement

taxes et frais postaux inclus
quatre numéros par année

		1 an	2 ans
Canada	individu	48 $	85 $
	étudiant	35 $	60 $
	institution	95 $	180 $
États-Unis	individu	75 $	140 $
	institution	115 $	220 $
International	individu	85 $	160 $
	institution	130 $	250 $

Pour vous abonner par carte de débit ou carte de crédit :
revuemoebius.com/abonnement

Autrement, veuillez adresser votre chèque ou mandat-poste à l'ordre de

Mœbius
2200, rue Marie-Anne Est
Montréal (Québec) H2H 1N1

Téléphone : 514 597-1666
Courriel : revuemoebius@gmail.com
Site Internet : revuemoebius.com

Nom :

Adresse :

Ville, province :

Code postal :

Pays :

Téléphone :

Courriel :

Abonnement à partir du numéro :

Le lézard amoureux

Valérie Forgues

**Une robe
pour la chasse**

Le lézard
amoureux

François Godin

**Habiter
est une blessure**

Le lézard
amoureux

Amélie Hébert

**Les grandes
surfaces**

Le lézard
amoureux

Kelly Norah Drukker

Petits feux

Le lézard
amoureux

Saint-Hyacinthe, 1996.
Sam ne se démarque pas
trop de sa gang jusqu'à
ce qu'il trouve de vieux
livres de philo et des
vêtements d'une autre
époque. Ceux de son oncle
suicidé. La transformation
s'amorce tandis que
le verglas s'en vient.

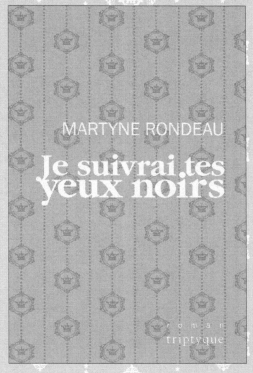

C'est un roman haletant et
déroutant qu'offre Martyne
Rondeau, c'est son plus vif,
aussi, son plus humain.
Je suivrai tes yeux noirs,
c'est Bonnie et Clyde,
avec Bonnie en héroïne
de Marguerite Duras et
Clyde en tennisman
qui se rêve en Gauvreau.

triptyque

groupenotabene.com

La Mèche est un espace de création libre et novateur où les idées comme les intuitions sont accueillies avec enthousiasme.

LAURENT LUSSIER

UN MAL TERRIBLE SE PRÉPARE

LE GOUPIL

ÉRIC MATHIEU

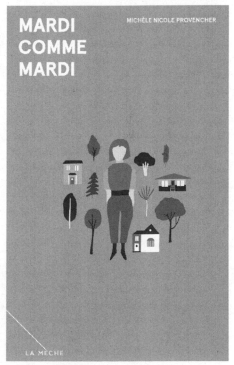

MICHÈLE NICOLE PROVENCHER

MARDI COMME MARDI

MAINTENANT EN LIBRAIRIE

SPIRALE
DONNE
À PENSER
SUR PAPIER
ET
SUR LE WEB!

magazine-spirale.com

SPIRALE
ARTS LETTRES SCIENCES HUMAINES

ABONNEMENT

Quatre numéros par année
Frais postaux et taxes inclus

LOCAL

Abonnement individuel (1 an)..63,24 $
Abonnement individuel (2 ans)..114,98 $
Abonnement institutionnel (1 an) ....126,47 $

ÉTATS-UNIS

Abonnement individuel (1 an)..85 $
Abonnement institutionnel (1 an) ....135 $

INTERNATIONAL

Abonnement individuel (1 an)..95 $
Abonnement institutionnel (1 an) ....150 $

estuaire   C.P. 48774, Outremont (Québec) Canada H2V 4V1
Chèque ou mandat postal à l'ordre de « Groupe de création Estuaire inc. »

Nom
_____

Adresse
_____

Ville, province
_____

Code postal   Téléphone
_____

Courriel
_____

Abonnement à partir du numéro
_____

revue de poésie

JE M'ABONNE ET J'ÉCONOMISE
1 an/4 numéros
Régulier : 42 $ ☐
Étranger (Transport inclus) : 70 $ ☐
(Prix en librairie : 11,50 $)
(les taxes sont incluses dans les prix)

Je désire m'abonner ☐   me réabonner ☐

À partir du numéro en cours ☐ ou du numéro _____

Nom : ....

Adresse : ....

Ville / Province : ....

Code postal : ....

Téléphone : (..........) ....

Télécopieur : (..........) ....

Courriel : ....

Je paye par chèque ☐   Visa ☐   Mandat ☐

No : ....Expiration : .... / ....

Signature : ....

Chèque et mandat payables à l'ordre de :

Revue EXIT/ Éditions Gaz Moutarde inc.
C.P. 22125, C.S.P. Iberville, Montréal (Qc), H1Y 3K8

Téléphone : 514 721-9672 • Internet : www.exit-poesie.com
Courriel : administration@exit-poesie.com

Depuis 1985, les meilleurs nouvelliers publient dans

LA REVUE XYZ DE LA NOUVELLE

1 an/4 numéros (ttc)

INDIVIDU	INSTITUTION
Canada 35 $	Canada 45 $
États-Unis 50 $	États-Unis 60 $
Autres pays 65 $	Autres pays 75 $

2 ans/8 numéros (ttc)

INDIVIDU	INSTITUTION
Canada 65 $	Canada 85 $
États-Unis 95 $	États-Unis 115 $
Autres pays 125 $	Autres pays 145 $

3 ans/12 numéros (ttc)

INDIVIDU	INSTITUTION
Canada 90 $	Canada 120 $
États-Unis 135 $	États-Unis 165 $
Autres pays 180 $	Autres pays 210 $

Abonnement de soutien annuel : 70 $ ou _____ $

Prix indiqués toutes taxes comprises
N° TPS : 121 138 234 RT0001/N° TVQ : 1015413367 TQ0001

Nom _____

Adresse _____

Ville _____ Code postal _____

Téléphone _____

Courriel _____

Je m'abonne pour ☐ 1 an/4 numéros ☐ 2 ans/8 numéros
☐ 3 ans/12 numéros à partir du n° ____

☐ Chèque ☐ Mandat postal

☐ MasterCard ☐ VISA

N° _____ exp. ___ / ___

Signature _____

XYZ. La revue de la nouvelle
11860, rue Guertin
Montréal (Québec) H4J 1V6
Téléphone : 514.523.77.72
Courriel : info@xyzrevue.com
Site Internet : www.xyzrevue.com

beau dessin : maxime gérin

la mauvaise tête

(éditrice de bande dessinée)

Mœbius est une revue littéraire fondée en 1977 par Pierre DesRuisseaux, Raymond Martin et Guy Melançon. Elle a été dirigée pendant trente-cinq ans par Robert Giroux. *Mœbius* paraît quatre fois par année.

Directrice
Marie-Julie Flagothier

Rédactrice en chef
Karianne Trudeau Beaunoyer

Comité de rédaction
Marc-André Cholette-Héroux, Roxane Desjardins, Clara Dupuis-Morency, Gabrielle Giasson-Dulude, Laurance Ouellet Tremblay, Chloé Savoie-Bernard, Jean-Michel Théroux et Karianne Trudeau Beaunoyer

Conseil d'administration
Lise Bizzoni, Jean-Benoit Cormier Landry, Marie-Julie Flagothier, Julia Pawlowicz, Patrick Poirier et Karianne Trudeau Beaunoyer

Conception graphique
Marc-André Cholette-Héroux et Roxane Desjardins

Illustration de couverture et calligraphies
Marin Blanc

Graphisme de la couverture
Marc-André Cholette-Héroux

Infographie
Isabelle Tousignant

Révision linguistique
Véronique Desjardins

Mœbius est subventionnée par le Conseil des arts du Canada, le Conseil des arts et des lettres du Québec et le Conseil des arts de Montréal. *Mœbius* est membre de la SODEP et de la FQLL.

Conseil des arts du Canada — Canada Council for the Arts

Conseil des arts et des lettres Québec

CONSEIL DES ARTS DE MONTRÉAL

Ce cent cinquante-septième numéro a été achevé d'imprimer
sur les presses de Marquis imprimeur inc., à Montmagny (Québec),
en mars 2018, pour le compte de la revue *Mœbius*.